MITOS Y LUCES DEL KICKBOXING EN SALAMANCA
(1978-2017)

César Hernández Barreña

MITOS Y LUCES DEL KICKBOXING EN SALAMANCA (1978-2017)

DIPUTACIÓN DE SALAMANCA
2018

EDICIONES DE LA DIPUTACIÓN DE SALAMANCA
Colección: Historias deportivas, N.º 3
Junio, 2018

ISBN: 978-84-7797-557-1
Depósito legal: S. 194-2018

e-mail: ediciones@lasalina.es
http://www.lasalina.es/cultura

Diseño y maquetación: www.trafotex.com
Imprime: Gráficas Valle. Salamanca

Dijo un sabio:

«*Sin letra no hay pasado,
sin pasado no hay memoria
y sin memoria no hay vida…*».

Índice

Nota del autor

Las fotografías del presente trabajo han sido proporcionadas por los protagonistas, o sus familiares. En algunos casos he tenido que recurrir a la Delegación de Kickboxing de Castilla y León en Salamanca, que con prontitud y diligencia me las ha procurado, con autorización previa de los interesados.

Las fotografías de los jóvenes campeones, menores de edad, se han hecho en presencia de sus progenitores, o con autorización de los mismos. Siempre en sus respectivos gimnasios o durante la exhibición o competición, en presencia de sus entrenadores.

Los méritos y galardones de los protagonistas, que figuran como logros en su vida deportiva, han sido proporcionados y cotejados con la documentación que existe en la Federación de Castilla y León, y en la delegación de Salamanca.

De cualquier error involuntario o equivocación, soy el único y exclusivo responsable.

Asimismo, deseo agradecer la colaboración de la Diputación de Salamanca, así como la del Maestro Manuel García Ramiro, primer salmantino Campeón del Mundo de Full Contact, que sin su colaboración, documentación y precisión hubiera sido imposible terminar este documento-crónica.

A todos los profesores de esta modalidad que me han facilitado las entrevistas.

A los luchadores que tantos galardones consiguen y tanta gloria dan a nuestra Salamanca por todo el mundo.

Al equipo técnico de organizadores y jueces-árbitros.

A todos los que me han tendido una mano para realizar este trabajo.

Introducción

Fui gentilmente invitado a la celebración de los Campeonatos de España de Kickboxing, y sus distintas pruebas (Modalidades: Contact, Full Contact, Light Contact, Formas, Point Fight…). Se organizaron y disputaron, por primera vez, en el Pabellón de Deportes de la Alamedilla durante los días 22 al 24 de Abril de 2016.

Quedé asombrado de su excelente organización, de su gran capacidad y control del desarrollo de este macro acontecimiento. Orden, buenas formas y disposición de todo un plantel de profesionales, muy bien coordinados, para salir airosos del evento, en el que participaron más de seiscientos luchadores (debidamente inscritos y federados), con edades comprendidas entre los cinco y los cuarenta y cinco años de edad. Procedentes de todas las Comunidades Autonómicas.

Veinticinco jueces-arbitros acreditados, y aproximadamente mil doscientos espectadores de toda España que venían arropando a sus familiares e ídolos.

Mi admiración total y agradecimiento a la Organización por ofrecernos la posibilidad de ver, simultáneamente, la celebración de cinco combates en un ring y cuatro tatamis.

Todo el grandioso espectáculo fue organizado gracias al trabajo y desvelos del Presidente de la Federación de Kickboxing de Castilla y León D. Juan Francisco Fraile Sánchez y de nuestro querido paisano Manuel García Ramiro (Manu padre), y su equipo. Delegado en Salamanca de la Federación de Kickboxing de Castilla y León.

Comencé a beber de la fuente de conocimientos de los aficionados versados en el tema, ex-luchadores y actuales campeones que llevan muchos años dando una gran gloria a Salamanca y han conseguido dar un enorme auge a estos deportes. Entre todos han conseguido que me convierta en un aficionado más, que de forma asidua asisto a las veladas y aplaudo a rabiar a nuestros luchadores.

Es tal la riqueza de sus historias deportivas, de sus logros, galardones y triunfos, que trataré fielmente de ponderarlos y brindar a los salmantinos la posibilidad de que conozcan a sus paisanos luchadores, que son reconocidos mundialmente por sus éxitos. Que orgullosos se sienten de ser charros y que su denominador común es la casta y nobleza que nos da esta recia Tierra.

Es un reto para mi emprender un nuevo trabajo en el mundo de las Artes marciales, aunque me da cierta tranquilidad el considerar, y estar convencido, de que "el padre de todas éstas nuevas técnicas de lucha es el Boxeo (inglés, tailandés y francés).

Comienza la historia de la implantación del Kickboxing en Salamanca con la pormenorización de su "buen hacer" de los pioneros, que durante más de cuarenta años han conseguido que la novedad se haya convertido en una actividad que diariamente practican cientos de jóvenes, y no tan jóvenes, en los gimnasios que brindan estas enseñanzas.

Son, de momento, tres superhombres los que considero *Maestros de Maestros* y que, con filosofías, métodos y técnicas diferentes, han sido los "padres" deportivos de toda una legión de prestigiosos campeones y excelentes profesores, que día a día, golpe a golpe, cosechan nuevos triunfos en su abarrotado palmarés.

Para evitar suspicacias están ordenados en función de su edad. Todos y cada uno son protagonistas de historias increíbles que le van, cuando menos, a sorprender.

Hay excelentes Maestros de otras Artes Marciales de los que pronto daremos a conocer su extraordinaria trayectoria en otras disciplinas, que en su día fueron novedosas, y que han logrado convertirlas en prácticas al uso por cientos de jóvenes deportistas. Tambien ellos tendrán su propio espacio y reconocimiento a su impagable labor de difusión de los deportes de Judo, Karate, Muay tha, …

Es curioso, pero a pesar de sus años, constantemente agradecen, evocan y ponderan las enseñanzas y motivaciones que recibieron de sus Maestros, convirtiéndose en meros transmisores de filosofías y de técnicas milenarias acomodadas a la permanente evolución de la vida y sus formas.

Vamos a conocer y profundizar en la vida deportiva de protagonistas relevantes en el mundo de los deportes de contacto, que su dedicación les ha proporcionado y les proporciona honores, triunfos, consideraciones y galardones, amén de un espíritu de superación, nobleza, filosofía de vida y disciplina.

Así son, si así les parece, nuestros Campeones.

El primitivo proyecto fue agrupar en un libro todas las Artes marciales que se practican en Salamanca, a título de Guía. Y conocer a los grandes campeones, sus éxitos y galardones de estos charros de hecho, o de derecho, que durante más de cuarenta años han llevado, y llevan, con orgullo y dignidad el nombre de Salamanca por los cuatro confines.

Una vez comenzado el trabajo y debido a los éxitos obtenidos en diversas Artes Marciales por nuestros paisanos, he considerado conveniente "parcelar" por especialidades para dar el realce y la personalidad de cada Ciencia Deportiva, y ponderar a los que en su ejercicio competitivo destacan y llenan de gloria el deporte.

Detrás, y al lado, de nuestros campeones están sus Maestros, maduros, con la sublime experiencia que dan más de cuarenta años de transmitir conocimientos y profundizar en la filosofía que se encamina a formar personas que sepan canalizar la energía dentro de la mesura y el positivismo.

Este libro se centra exclusivamente en el Kickboxing, dejando una puerta abierta para que en futuros trabajos podamos seguir ponderando a los Maestros y luchadores de otras especialidades.

Figuran en él otros Maestros, conocidos y acreditados mundialmente en otras Artes que, en su día, tuvieron relación con el Kickboxing. Es el caso de Vicente Zarza Juan, super-especialista en Judo, que en el año 1978 patrocinó en Salamanca una extraordinaria Gala de Artes Marciales en la disciplina del Kickboxing –modalidad de Full Contact– en la que presentó a Mariano Morante (hijo) que fue subcampeón de Francia.

También figura el Maestro Mimoun Boulahfa, reconocido mundialmente por su trayectoria en prácticamente todas las Artes Marciales, y con el que se sigue contando y da prestigio a competiciones y congresos que se celebran en los cuatro puntos cardinales.

Mimoun fue entrenador del primer equipo de Full Contact de Salamanca que compitió en Bilbao. Entre los luchadores estaba Vicente Palomero, que ese mismo año quedó Subcampeón de Europa.

Del Maestro Manuel M. García Ramiro, les ruego lean con admiración su trayectoria como luchador y "cerebro" del Kickboxing, cuya fama pregonan sus "hijos deportivos" que están encaminados a ser futuros Maestros en este Arte.

Otros extraordinarios Maestros tendrán su gloria y relevancia en futuros trabajos, me refiero concretamente a Alberto Aragón Cutillas, Maestro salmantino de la especialidad de Karate, que tanta gloria y formación ha impartido a los

Karatecas durante más de cuarenta años y que goza de un merecido prestigio a nivel nacional e internacional.

Sirvan estas líneas de agradecimiento y admiración a los que en su mano y mente tienen la obligación de mantener vivo y creciendo, este deporte.

Maestros

Vicente Zarza Juan

Boulahfa Mimoun Abdel-Lah

Manuel García Ramiro ``Manu padre''

Vicente Zarza Juan

¡Sorpresa! Cuando conseguí localizarle para concertar una entrevista, ya tenía sus maletas preparadas para desplazarse A Fort Landerdale en el Estado Florida (EE. UU.) para competir en el Campeonato del Mundo de Judo (veteranos) en la modalidad de menos de 81 kg. a los setenta años de edad. Quedando subcampeón del mundo, en un glorioso combate muy igualado.

Obtuvo Medalla de Bronce en el año 2015 en el mismo campeonato.

El pasado mes de julio de 2015, subcampeón del mundo en Ámsterdam en la especialidad de M-8.

En julio de 2016 campeón de Europa en Foret (Croacia).

Actualmente ostenta el campeonato de España (de 70 a 75 años) en la modalidad M-9 en el peso de menos de 81 kg.

Siempre creí que el Apellido Zarza procedía de la Sierra, de hecho tengo buenos y añejos amigos cuya casta viene de San Miguel de Valero,

Vicente Zarza Juan. Supercampeón.

de los pueblo adyacentes y norte de Extremadura. Vicente Zarza Juan es de la rama de la Comarca de la Armuña. Nació en Santiz (Salamanca) el día 19 de Julio de 1946, en el seno de una familia de trabajadores agrícolas.

Desde los 14 años de edad reside en Salamanca donde sus primeros pasos en el ámbito del trabajo los dio en una huerta de la Aldehuela.

Aventurero, inquieto, con ansia de conocer nuevos horizontes y nuevas perspectivas de futuro. Con 16 años marchó a Suiza a probar fortuna. Estuvo el tiempo necesario para ordenar su proyecto y volvió a Salamanca para renovar fuerzas.

Emigra nuevamente a París donde reside y trabaja durante cuatro años, hasta que sus obligaciones para con la Patria le obligan a venir a cumplir el servicio militar en el Campamento del Ferral (León) y en el Regimiento de Transmisiones de Ingenieros en Salamanca.

Campeón Militar, 1969. Entregado por el Coronel de Regimiento.

En París estuvo alojado en una residencia del Estado, exclusiva para emigrantes menores de veinte años, donde les brindaban la posibilidad de aprovechar su tiempo libre practicando diversos deportes. Vicente se decantó por el Judo.

Allí conoció y recibió enseñanzas, influencias y formación de su profesor Claude Bechú, con el que continúa siendo su "alumno" y han forjado una incondicional amistad que les ha llevado a coincidir en varias ocasiones al ser visitado por su viejo y entrañable profesor, que ha venido a conocer nuestra maravillosa Ciudad de Salamanca en los años 1973, 1990 y 2015 en el Master de

Veteranos. Este insigne Maestro de Artes Marciales tiene una merecida fama de transmitir una especial filosofía que canaliza la fuerza y la sublima.

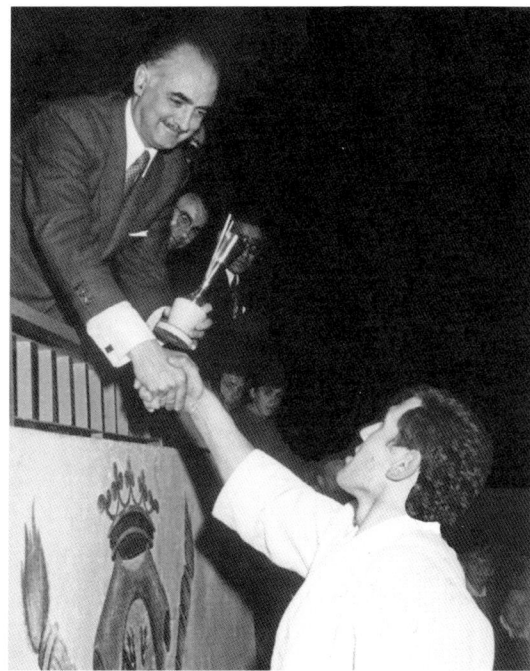

Con su profesor Claude Bechú en París (Francia).

Campeón Trofeo de Judo. Mayo 1970. Entregado por el Gobernador Civil.

Terminó la mili en 1969.

El mismo año abrió un local-gimnasio en la calle quinta de la Avenida de Villamayor que inmediatamente amplia con el nombre de Yoko Gake (Nombre de una Técnica de Judo).

En el año 1974 inaugura un nuevo gimnasio en la calle Velázquez, donde 42 años después continúa el Gimnasio Zarza fabricando nuevos campeones.

Tiene un excelente currículo que le hace merecedor de todas las consideraciones y me lleva a clasificarle como unos de los mitos en los deportes de contacto y pionero de la implantación y arraigo en Salamanca del Kung Fu, Judo, Karate…

JUDO
Desde 1968 compagina su labor de preparador con la de competidor.
— 1969: Campeón militar.
— 1970: Subcampeón de España.
— 1971: Concentración para el Campeonato Mundial.
— 1976: Campeonato de España. Medalla de Oro.

Continua inmerso en el ámbito de los deportes de contacto como Profesor de Judo, Árbitro Nacional, Especialista en Judo Suelo, Director Técnico de la Federación de Judo de Castilla y León, Responsable de los Equipos Nacionales cadete y junior. Profesor de la Escuela Nacional de Artes Marciales. Miembro de la Comisión de Recompensas de la Federación Española. 20 años Presidente de la Federación de Judo. Miembro Junta Directiva de la Federación de Judo de Castilla y León.

Organizador de Campeonatos de Artes Marciales de Judo y otras Artes que han servido, a nivel internacional para llevar con dignidad el nombre de Salamanca por todo el mundo,…

En Enero de 1978 patrocina en Salamanca Una extraordinaria Gala de Artes Marciales. En la disciplina de Full Contact presentó a Mariano Morante (hijo) que fue Subcampeón de Francia.

Conserva y cuida su amistad y respeto por los grandes mitos de las Artes Marciales.

Muchos de sus alumnos han conseguido medallas y trofeos en Campeonatos Nacionales, Europeos y Mundiales.

Zarza-Gimnasio ha dado diez campeones de España, en el ámbito infantil, cadete, junior, senior, militar y universitario, europeos y veteranos.

Nos despedimos con un abrazo y con una frase cargada de ascentral filosofía.

"Un campeón es fácil hacerlo, un buen campeón no".

Zarza volando por el cielo de Salamanca.

Boulahfa Mimoun Abdel-Lah

Conocí a Mimoun, como profesor, en un curso de digito puntura que organizó un restaurante ovo-lacto-vegetariano llamado El Trigal, ubicado en la Calle Libreros, allá por el año 1986. Sus magistrales enseñanzas y técnicas simples al uso me sorprendieron gratamente. Con una sencillez meridiana nos enseñó a canalizar la energía, a sumirnos en profundos relajos, a sentir nuestro cuerpo, a alejar viejos fantasmas y temores, incluso a espantar el dolor.

Aún recuerdo los ejercicios con movimientos abdominales para estimular todo el tracto gastrointestinal, que sigo practicando con asiduidad.

El conocimiento de determinados puntos de nuestro cuerpo, que sometidos a una ligera presión estimulan concretas partes de nuestro complejo organismo. Masajes más o menos contundentes y "consejos" para conseguir que el cuerpo se desdoble de la mente liberando adrenalina y fortaleciendo la disposición de ser fuerte sin violencia alguna.

Mimoun se convirtió para mí en un mito, en un *Maestro de Vida*, y formas de vivirla,

Boulahfa Mimoun Abdel-Lah.

todo un arquetipo que inspira seguridad, tranquilidad, espiritualidad y al que me gustaría conseguir parecerme algún día.

Concertamos la entrevista en el Gimnasio Sakura, que rige en la Calle Gómez Arias, ejercitando alumnos y alumnas en las Artes de Judo, Karate, Kobudo, Defensa Personal, Full Contac, Taichi, Yoga, Ayurveda (Ciencia de la vida) y varias modalidades más.

Hablamos largo rato de cosas trascendentes, de temores y miedos heredados de nuestros padres y acrecentados por el ambiente violento que vivimos. Mimoun es todo un filósofo, sencillo, profundo, real,…

Me tenía preparado su currículo, de más de catorce folios, en las que figuran ordenadas cronológicamente todas sus actuaciones profesionales. Sus triunfos, logros, trofeos, actuaciones de diversa índole y las luces de toda una vida (69 años).

Habla emocionado de sus maestros, que en todo el mundo le han enseñado a vivir contento consigo mismo. De sus diferentes filosofías, pero con el denominador común de formar al hombre en un ambiente de armonía con la naturaleza y el cosmos.

Tomo nota de sus magistrales frases:

…"Querer tiene unas connotaciones de deseo, apego, pertenencia"…

…"Amar es el don de dar sin contraprestaciones, no es negociable"…

…"Otros preparadores se preocupan y tienen como objetivo sacar campeones, yo trato de sacar personas"…

…"Cuando compites no vas a ganar, vas a hacerlo bien"…

…"En la lucha el mejor es el más limpio"…

…"La parte de la honradez es muy importante"…

…"El entrenamiento da fuerza, pero hay que canalizarla. Ha de haber una conjunción de fuerza física y mental"…

…"Las artes se transmiten, no se enseñan"…

Mimoun es un hombre profundo, mesurado, que inspira confianza pero que sabe que el maestro tiene que ser respetado por sus alumnos, porque sus conocimientos son superiores… "En los entrenamientos has de darte por entero. Cuando los alumnos logran tocarte se crecen, es todo un logro y necesario para infundirles confianza"…

Nuestro extraordinario campeón nació el día 16 de diciembre de 1948 en Beni-Enzar (Marruecos), antigua frontera con Melilla. Hizo todo el Bachiller en Melilla. Ya por entonces se ejercitaba en los deportes de contacto. Fue miembro del Equipo de Melilla, hizo múltiples combates de Boxeo y Judo.

En 1969 recaló en Madrid para matricularse en la Escuela de Arte Dramático y en la Facultad de Audiovisuales, sin conseguirlo, se había terminado el plazo para formalizarlas.

Año 1964, en Melilla a los 15 años. Con el equipo de deportistas.

El mismo año viene a Salamanca y vive con su hermano, estudiante de Medicina, en la Pensión Mary, de la Calle Doctrinos.

Comienza a entrenar en el Gimnasio de Zarza.

Desde el año 1991 es súbdito Español, y Salmantino de derecho desde el año 1970.

Desde el año 1972, y hasta el año 1978 se convirtió en socio industrial de un gimnasio de la Calle José Jáuregui.

En 1978 fue entrenador del primer equipo de Full Contact de Salamanca que peleó en Bilbao. Entre ellos estaba Vicente Palomero, que este año quedó Subcampeón de Europa.

Ha impartido magistrales enseñanzas en todo el mundo: EE. UU., Brasil, Colombia, Marruecos y en toda Europa, Japón, Argentina, países donde está considerado como muy prestigioso maestro de Artes Marciales.

Siempre compaginó las enseñanzas impartidas con combates.

Los grandes campeones mundiales de Full Contac han sido compañeros de gimnasio.

En el año 1978 su alumno Vicente Palomero se clasificó subcampeón de Europa. Medalla de Plata en Holanda en la modalidad de Full Contact. Obtuvo este importante galardon cuando el Kickboxing era un novedoso y raro deporte, los primeros luchadores que compitieron fueron preparados por Mimoun.

Año 1974, miembros del equipo de Judo con los trofeos conseguidos en Salamanca.

Mike Anderson. Promotor del Full Contact en EE. UU.

Bill Wallace. 40 veces campeón mundial de Full Contact. En Touquet (Francia), año 1979.

Boulahfa Mimoun Abdel-Lah, Antonio García de la Fuente (Presidente de la Federación Española de Judo, 1974) y Celestino Fernández. Karate.

Entre sus incontables galardones figura el obtenido en Francia. Se proclamó Campeón de la Copa de las Naciones y del Torneo Europeo de Tai-Do, en el año 1979.

Las paredes de sus dependencias están cubiertas de Diplomas, Certificados y Acreditaciones de haber sido, a su vez, alumno y maestro impartiendo enseñanzas en los cuatro continentes.

Todas y cada una de sus prolíficas actuaciones y triunfos pueden verlos detalladamente en su página web: www.sakuratakekan.org.

Sin duda, Boulahfa Mimoun Abdel-Lah es un Gran Maestro de las Artes Marciales con fama universal. Digno de ser conocido y reconocido como tal en nuestra sabia Salamanca.

Campeón de Grecia, año 1984. Campeonato Mundial de Karate abierto, se celebró en el Estadio Olímpico.

Manuel García Ramiro
"Manu padre"

Mi afición por las Artes Marciales, de vocación tardía, ha sido debida al conocer personalmente a Manuel García Ramiro. Le veía físicamente en todas y cada una de las veladas y combates que en Salamanca se celebran. Unas veces en el rincón del ring arropando a alguno de sus adelantados alumnos, otras asesorando magistralmente a sus pupilos, y siempre como organizador y cerebro de los eventos. Desarrollando su febril actividad, resolviendo "in situ" los problemas y avatares que puedan surgir y que superados dan realce y seguridad a las personas que asiduamente asistimos a las competiciones.

Manuel García Ramiro, con los cinturones de Campeón de España y Campeón del Mundo.

De fácil trato y sonrisa eterna es un buen conversador de lo divino y de lo humano, dispuesto siempre a contestar las preguntas con sabias respuestas.

Ramiro es un mito, un ejemplo a seguir en el mundo del deporte y una absoluta garantía como organizador.

Participante y sabio conocedor de la historia de los deportes de contacto, lo sabe todo, y todo lo recuerda ubicándolo en el tiempo.

Es un personaje sabio y necesario para que estos deportes sigan en auge y nuestros jóvenes los practiquen ordenadamente, siempre asesorados por excelentes profesores.

Detrás de Ramiro hay una bella historia deportiva que trataré de desgranar e informarles de sus peculiaridades, y propiciar que cuando con él se crucen en cualquier calle de Salamanca, lo harán con un extraordinario campeón que ha llevado, y lleva, el nombre de nuestra Patria Chica por todo el mundo.

Se educó en el Colegio Miguel de Unamuno del Barrio de Pizarrales y en el Colegio de los HH. Maristas.

Desde los 9 a los 12 años participo en Atletismo teniendo como guía a Sánchez Paraíso. Compaginaba este deporte con la iniciación en una mezcla de Karate, Judo, boxeo, savate y Muay-Thai. Compartía la afición con su amigo José Antonio (17 años), hijo de un diplomático que había crecido en varios países y

Principios de los años 80, con De la Sagra.

practicado estos deportes. Se entrenaban en la antigua Feria de Muestras (Detrás del Colegio Marista).

Su primera licencia federativa fue en el año 1976, a los 15-16 años. En el Gimnasio Yoko-Gake, que regía Vicente Zarza (Según mi documentación fue el primer gimnasio que hubo en Salamanca de estas Artes). Comenzó a competir el mismo año en un Open de 3 combates, fue declarado vencedor. Sus profesores Augusto Krause, Jorge Carvajal, Carlos Trigueros, Cristóbal Moreno… por ellos fue enseñado, compaginando varios deportes de contacto.

Desde 1972-1976 visitaba el Gimnasio de Boxeo que regía el Gran Balta y comenzó a admirar al maestro Boulahfa Mimoun en el Gimnasio Brigite.

Comienza su aventura boxística en el que regía el Gran Pedro Coque, en la Calle Volta. Realiza un total de, aproximadamente, cuarenta y cuatro combates en los pesos pluma y ligero, entre los galardones obtenidos figura el Campeonato de Castilla del peso ligero.

Homenaje a Manolín, Secretario de la Federación Salmantina de Boxeo. 21 de sept. de 1984. La Alamedilla, peso ligero.

Entrenó con Poli Díaz (el potro de Vallecas) en la Playa del Inglés en Las Palmas.

Desde 1978-1986 compaginaba todos los deportes de contacto. Ganó el Campeonato de Karate de Castilla.

Se especializa en Full Contact en 1988, ya tenía 28 años y en su haber varias medallas de plata y bronce. Proclamándose Campeón de España en 1990 (medalla de Oro) del peso pluma.

Full Contact. Campeonato Nacional, peso -57 kg.

Se clasifica en el Campeonato de Europa Wako en 1990.

Sufre una lesión de cadera que le hace retirarse y recuperarse durante tres años. Volviendo a la competición en el año 1993. En el año 1994 queda Campeón de España de Full Contact del peso ligero.

En 1995 se proclama Campeón de España del peso superligero y se clasifica para el Campeonato del Mundo en Canadá, obtiene una honrosa medalla de Bronce. Venciendo al Campeón del Mundo, de nacionalidad rusa.

En 1997 disputa el Campeonato del Mundo profesional de Full Contact en el Pabellón de Deportes de la Alamedilla, siendo el promotor y organizador. En este

Con Benny Urquidez "The Jet", en Los Ángeles, California.

evento colaboró el Ayuntamiento de Salamanca, la Diputación Provincial, Bio-Carburantes Sol Fuerza y varias entidades y comerciantes salmantinos.

El contrincante Emanuel Zambarino, italiano, era Campeón Mundial y de Europa. Combate épico a 12 asaltos, que aún recuerda y pondera..

Nuestro Manu padre perdió el combate por escaso margen de puntos, pero cobro una fama mundial de super-luchador.

Campeonato Mundial, peso ligero. 14 de marzo de 1997.

En el año 1998 Manuel García Ramiro es designado aspirante (a pesar de tener 37 años cumplidos) para disputar el Campconato Mundial. El combate se celebra en la plaza de toros de Elda (Alicante). He oído varias versiones sobre el extraordinario combate, he visto los videos. Posiblemente sea el mejor combate que he presenciado a lo largo de mi vida.

El charro Manuel García Ramiro se proclamó Campeón Mundial de Full-Contact del peso ligero (62 kg). Venció por k.o. técnico en el 5.º asalto a su oponente.

Por primera vez en la historia de los deportes de contacto un salmantino logro la gloria de ser Campeón Mundial.

Esa misma noche Manu padre se cortó la coleta, cumpliendo la promesa hecha a sus padres, esposa e hijo.

Toda una vida dedicada al deporte, con una especial sabiduría adquirida en el ejercicio de la competición.

Campeonato del Mundo Profesional. Elda, 20 de junio de 1998.

Su capacidad organizativa, sus recursos y conocimientos le avalan para comenzar una nueva etapa: Manu padre se ha convertido en un mito, su sencillez, honestidad y simpatía le han proyectado a ostentar cargos de responsabilidad en el mundo del deporte, que le convierten en toda una autoridad a nivel nacional, europeo y mundial.

- 1998: Presidente de la Federación Española de Kick-boxing.
- 1999: Coordinador Técnico de la Selección Española.
- 2000: Director Técnico y Vicepresidente Ejecutivo de la Federación de Kickboxing.
- Desde 2002: Ostenta el cargo de Seleccionador Nacional de Full Contact.
- 2013: Le imponen la Insignia Olímpica del Comité Olímpico Español.
- 2017: Le designan oficial y públicamente observador de los valores del deporte para Salamanca. En el Aula Minor del Palacio de Fonseca.
- 2004: Se integra la Escuela de Kickboxing Élite en la Asociación Salmantina de Kickboxing, cuya Filosofía e ideario impartido a los alumnos es: …"Equipo humano que trabaja con el objetivo prioritario de contribuir a la formación integral de cada persona, utilizando como principal herramienta la práctica del Kickboxing como base en los principios de las artes marciales tradicionales, y en la salud"…

*Acto de entrega
de los Premios Nacionales
del Deporte, 1999.
en el Palacio Real.
Reconocimiento
a su vida deportiva*

Su Majestad el Rey
(q. D. g.)
y en Su nombre,
El Jefe de Su Casa
tiene el honor de invitar

al Señor Don Manuel M. García Ramiro

al acto de entrega de los Premios Nacionales del Deporte 1999, que tendrá lugar
en el Palacio Real, el martes día 29 de febrero de 2000, a las 12,00 horas.

Desde que Manuel García Ramiro se dedica a preparar a los nuevos valores de este deporte La Escuela Élite ha cosechado unos extraordinarios resultados que se han traducido en:

- Campeonatos de España. 119 Medallas de Oro, 73 de Plata y 47 de Bronce.
- Campeonatos de Europa. 15 Medallas de Oro, 5 de Plata y 7 de Bronce.
- Campeonatos Mundiales. 38 Medallas de Oro, 19 de Plata y 31 de Bronce.

Tienen la posibilidad de encontrar una información más minuciosa y detallada en: www.escuelakickboxingelite.org.

Resúmen: Lleva 47 años practicando Artes Marciales.
40 años compitiendo.
Mas de 35 años como entrenador.

Gracias Manuel García Ramiro (Manu padre) por tu aportación a los deportes de contacto y por los triunfos y galardones que dan prestigio a nuestra Salamanca.

Profesores y alumnos

Antonio Castillo Martín

Nació en Almería el día 14 de diciembre de 1960.

Desde 1978 al a 1986 vive en Salamanca, y trabaja en el ramo del parquet y madera de interior. Con el oficio bien aprendido se establece como autónomo en Barcelona, creando un importante negocio.

Comienza sus entrenamientos de Kickboxing en el Club KO Verdún, en Barcelona, teniendo como preparador a Rafael Martín. Las vacaciones de verano las pasaba en Salamanca bajo la tutela deportiva de Manuel M. García Ramiro.

Antonio García Castillo, junto Con Fernando Velaz Cortés fueron los primeros cinturones negros de Kickboxing, y la titulación y categoría de Entrenadores Nacionales que obtuvieron los alumnos del Maestro Manuel M. García Ramiro.

Empieza a impartir clases en Cataluña, creando su Equipo de Competición, teniendo como Mentor al Campeón de Europa Víctor Amat.

Antonio Castillo Martín, 1986.

Antonio Castillo Martín, Manuel García Ramiro, Félix Losada y Fernando Velaz en 1986.

Antonio Castillo Martín se proclama Subcampeón de Catluña, 1988.

*Con Richard Syla, Campeón del Mundo de Savate
y Kickboxing, año 1989.*

*Con Ronnie Grem, Campeón del Mundo de Thai
y Kickboxing, año 1990.*

Año 1988: Se proclama Subcampeón de Cataluña.

Según la información recabada quedo Subcampeón de Cataluña en el año 1988. En Hospitalet de Llobregat.

Continúa considerándose muy buen amigo de Manuel García Ramiro.

Fernando Velaz Cortés

Nació en Extremadura, comenzó su andadura en Salamanca como estudiante de la Facultad de Derecho.

Siempre llamaron su atención los deportes de contacto. En 1986 conoció al Maestro Manuel García Ramiro, las referencias le fueron dadas por otros compañeros de estudios, por entonces se impartían enseñanzas de Kickboxing en el Gimnasio Nirvana y en el Yoko-Gake.

En el año 1988, tras dos años de duros entrenamientos, que le servían de relax y equilibrio por el número de horas de estudio de carrera, comienza su andadura en el mundo de la competición.

Fernando Velaz Cortés entrenando con Manuel García Ramiro en el Gimnasio Nirvana.

Campeonatos de Castilla y León

Se proclama Campeón de Castilla y León de la modalidad de Full Contact dos veces consecutivas, dos Medallas de Oro en 67 kg. de peso.

Primer equipo del Club Nirvana para competir en el Campeonato de Castilla y León, 28 de mayo de 1989.

Fotografía del equipo completo despues de la competición, se aprecian las heridas (marcas) del combate.

Fernando Velaz Cortés con los dos primeros cinturones negros y entrenadores del Gimnasio Nirvana.

Campeonato de España

Es seleccionado para participar en el Campeonato de España, celebrado en Toledo en el año 1990. Quedando subcampeón. Medalla de Plata, 67 kg.

Fue galardonado con la primera Medalla de Plata que obtuvo el Full Contact salmantino. En el Campeonato de España.

Solamente competía cuando sus obligaciones académicas le permitían simultanear sus entrenamientos.

Terminó con honores sus estudios y la preparación exhaustiva de la Oposición a Subinspectores de Hacienda. También es profesor de Derecho Fiscal en la Escuela de Turismo.

Fernando Velaz Cortés con su maestro en un entrenamiento.

Viene esporádicamente a Salamanca y tiene a gala la visita a los nuevos valo-res que se inician o compiten abajo la tutela de su Maestro Ramiro, por el que continúa sintiendo un profundo respeto que raya en la veneración.

Gracias Fernando Velaz por tu lealtad y fidelidad.

Edmundo Cillero Sánchez

Salmantino de nacimiento, desde el año 1981, y sempiterno vecino del Barrio de San José.

Cursó la EGB en el Colegio Alfonso X "el Sabio" y en el Instituto Torres Villarroel el Bachillerato.

Le conocía únicamente por referencias, no he tenido la satisfacción de ver sus combates pero estoy informado de su táctica. Es muy tenaz, desde el primer minuto toma la iniciativa atacando al contrario sin darle tregua, limpio, buen fajador con excelente pegada. Un completo luchador de los que arriesgan y con una excelente preparación.

Edmundo Cillero Sánchez.

Buen deportista que se inició en los deportes de contacto a los ocho años de edad, y hasta los 17 fue alumno de Karate con su profesor Ricardo, alumno del Gran Alberto, del que guarda un excelente recuerdo. Compartió enseñanzas con su hermana Ana Isabel.

En el gimnasio aprendió los principios básicos de las Artes Marciales: disciplina, seriedad, constancia, espíritu de sacrificio, superación de uno mismo, respeto...

Se incorpora a la Escuela de Guardias Jóvenes de Valdemoro (Madrid). A los 19 años aprueba la oposición como Guardia Civil, por cierto, es la tercera generación como miembro de la Benemérita, le precedieron su abuelo y su padre, también varios familiares. Cumplió el objetivo que se había propuesto desde niño y por el que había luchado: Ser miembro de las Fuerzas de Seguridad del Estado.

La incorporación al servicio activo le mantiene alejado de la práctica de los deportes de contacto. Es destinado a varias localidades, Madrid, Valdemoro, Badalona y Bilbao. Después de un largo peregrinar consigue destino en la Comandancia de Salamanca, en el año 2006. Regresa a la tierra que le vio nacer, con su familia, amigos, entorno, lleno de proyecto e ilusiones. Necesitaba reubicarse y volver a la constancia deportiva, ...volver a integrarse en Salamanca.

Varios de sus amigos le recomiendan el Club de Kickboxing Élite, del que nunca había oído hablar. Tuvo una muy buena acogida, tanto por su Maestro Manuel García Ramiro, como por su Profesor Manuel García Sánchez (Manu hijo).

Con sus compañeros de gimnasio enseguida se consideró un miembro mas de la amplia Familia, buen trato, compañerismo, amistad, respeto, disciplina y admiración por su maestro y profesor.

Pondera constantemente el altísimo nivel.

Campeón de Castilla y León, Medalla de Oro, 2015.

Después de seis meses de entrenamientos debuta en la Gala de Kickboxing en el Pueblo de Peleas de Abajo (Zamora), siendo mach nulo el resultado del combate.

Historial deportivo

- Campeonatos de Castilla y León.
- Medalla de Oro. Campeón en full-contact, año 2014.
- Medalla de Oro. Campeón en ligthcontact, año 2014.
- Medalla de Oro. Campeón en lightcontact, año 2015.
- Cinco Medallas de Plata. Subcampeón en los años 2009, 2012, 2013 (2) y 2015 en las modalidades de Full Contact, Light Contact y Point Contact.

Campeonato de España, Medalla de Oro, 2014. Madrid.

Campeonato de España, Savat, 2014. Badajoz.

Campeonatos de España

- Medalla de Oro. Campeón en Savate (Boxeo Francés) en 2014 – y seleccionado para el Campeonato del Mundo, a celebrar en Roma (Italia).

Selección Nacional de Campeones de España, para el Campeonato del Mundo en Roma.

- Medalla de Bronce (3.er clasificado) en el año 2013 en Savate (Boxeo Francés).

Como profesional
- Medalla de Oro. Campeón en Point Fight.
- Medalla de Plata. Subcampeón neoprofesional en Light Contact, año 2015.
- Medalla de Plata. Subcampeón en Pointfight, año 2013.

Campeonatos del Mundo

- Medalla de Bronce (3.er clasificado) en Kickboxing, Athenas (Grecia) RN Self Defens Extrem.

Bronce. Campeonato del Mundo. Self Defens. Atenas (Grecia), 2013.

Plata. Open Internacional de Light Contact. Benidorm, 2016.

Otros torneos internacionales

- Medalla de Plata. Subcampeón. Open Internacionales Kickboxing, WAKO. en Sun Explosión en Light Contac, año 2016.
- Dos Medallas de Bronce. Open Internacional Kickboxing, WAKO en Kick Light y en Point Fight en el año 2016.

Otros títulos y méritos

- Entrenador Nacional de Kickboxing
- Instructor Cardio de Kickboxing –FEK–.
- Árbitro Nacional e Internacional de Kickboxing –FEK–. Best Fighter, año 2017.
- Cinturón Negro, 4.º DAM de Kickboxing
- Grado Avanzado en Combat Grappling - M.M.A., año 2013.
- Instructor Intervención Operativa de la Guardia Civil.
- Formador en Defensa Personal y Práctica Policial a Militares de la Base Aérea de Matacán.
- Instructor K.A.P. de Kickboxing Autoprotección.

Bronce. Open Internacional de Kick Light. Benidorm, 2016.

Bronce. Open Internacional de Point Fight. Benidorm, 2016.

Me despido cordialmente de este joven Guardia Civil que está "lleno" de espíritu de servicio y tiene la gran satisfacción de ayudar a sus compañeros a realizar sus sublimes tareas con seguridad y aplomo.

Terminamos con una frase de Edmundo, referente a la práctica de los deportes de contacto, y a la influencia que han tenido en su vida personal y profesional:

…"Han hecho de mí una mejor persona. Me han servido para mejorar a nivel personal, deportivo y profesional:…

Gracias Edmundo Cillero Sánchez, y gracias eternas a la institución a la que perteneces.

Josetxo Gascón Fernández

Nacido en Pamplona en el año 1971.

Salmantino de derecho desde el año 1981, se integra en la vida cotidiana de Salamanca al cumplir los 10 años de edad, por traslado de su padre.

Se educa en el Colegio Nebrija, y en los Institutos Vaguada de la Palma y Fray Luis de León, donde termina el Bachillerato.

Se inicia en los deportes de contacto, por los que siempre sintió admiración, viendo entrenar en el Parque de Valcuevo a Vicente Fernández "El Zurzo" y a Félix García Losada.

A los 20 años de edad comienza a entrenarse en la disciplina de Kickboxing, en la modalidad de Full Contact en el Gimnasio Nirvana, teniendo como preparados al maestro Manuel García Ramiro.

Cuando su preparador crea su propio Club-Escuela de Kickboxing Élite en Salamanca, continúa sus entrenamientos con él, que simultanea como profesor en varios gimnasios: Palas, Pasadena, Cid, Santa Mónica y Élite.

Josetxo Gascón Fernández

Josetxo Gascón Fernández, en el comienzo de su vida deportiva.

Comienza en el mundo de la competición, siempre tutorado por el maestro Ramiro (Manu padre), del que guarda un gran aprecio y respeto. También le considera como "Hermano Mayor y Padre Deportivo".

…"Me ha enseñado disciplina, sacrificio, voluntad, actitud…".

…"Ha sido para mí fuente de conocimientos y de recursos para afrontar la vida, en lo personal, profesional y mental…".

…"Me ha enseñado la importancia de creer en uno mismo. Fuente de autoestima y recursos para salir de los malos momentos y conocerse a si mismo, y los propios medios y limitaciones. Me ha enseñado a despertar el espíritu de superación, a levantarme cuando he caído y a superar las dificultades…".

…" Estas enseñanzas y recomendaciones he tenido ocasión de aplicarlas en el ámbito laboral, que se han traducido en conocer y buscar sentido a mi trabajo, de tener objetivos concretos y luchar por un espíritu de superación y dedicación total que me han ayudado a desempeñar cargos de responsabilidad como ejecutivo de la empresa multinacional CEPSA…".

…"Me ha enseñado y ayudado a llevar una equilibrada vida familiar que me permite continuar practicando el deporte con asiduidad…".

…"Gracias a llevar una vida sana, en lo físico y en lo mental, me ha ayudado a superar un quebrando importante en la salud…".

…" Las vivencias, experiencias, compañerismo y relaciones sociales, que perduran en el tiempo forman parte de nuestra vida…".

Josetxo Gascón Fernández, en centro Manuel García Ramiro y a la izquierda Hassam en el año 2003.

Josetxo Gascón Fernández deja latente un mensaje de agradecimiento a todos los miembros de la gran familia de los deportes de contacto. Profesores, alumnos, compañeros… con los que ha compartido momentos de entrenamiento, éxitos, fracasos que, sin duda, han servido de formación y experiencia para desenvolverse en la vida.

Con la añoranza de volver a tiempos pasados.

Foto robada, con la añoranza de volver a la competición, año 2016.

Campeón de España. Medalla de Oro Neoprofesional, 2015.

Ve las Artes Marciales en Salamanca con "muy buena salud" y excelente proyección de futuro. ..."En los gimnasios cada vez hay mas niños. El éxito de las Artes Marciales se mide por el número de niños que en ellas se inician...".

Su historial deportivo le acredita como un excelente Campeón.

Con un gran coraje, muy cerebral en el estudio de sus contendientes, tenaz, valiente, con una excelente técnica y pegada contundente. Un luchador que imprime a los combates colorido, alegría y vistosidad, y espectáculo.

Con el cinturón de Campeón de España. 2015.

Cuenta en su haber con diez Campeonatos de Castilla y León. Diez Medallas de Oro, conseguidos entre los años 1999 y 2006.

Ha participado en siete Campeonatos de España, durante los mismos años, habiendo conseguido tres Medallas de Plata y cuatro Medallas de Oro. En las modalidades de 81 kg., 75 kg., 72,500 kg. y 70 kg. Todos celebrados en Madrid, excepto el del año 2006 que se celebró en el Pabellón de Deportes de la Alamedilla.

Dos veces Campeón del Torneo Campeonato Ibérico, año 2003 en Madrid y año 2005 en Lisboa. En ambos Campeonatos venció –a los puntos– al

Campeón de España. Medalla de Oro Neoprofesional, -72,5 kg contra Ramiro Otero, 2015.

Con el cinturón de Campeón de España. Neoprofesional, -72,5 kg, 2015.

extraordinario luchador portugués Joao Ferreira.

En el año 2005 obtiene Medalla de Oro como Campeón de España neoprofesional.

También en el 2005 obtiene Medalla de Bronce en el Campeonato del Mundo celebrado en Chipre.

En el año 2006 queda Subcampeón de Europa. Medalla de Plata en sevilla.

Simpático, responsable, excelente persona, limpio de espíritu… Buena gente y muy buen entrenador con sobradas habilidades sociales.

¡¡¡Gracias Josetxo!!!

En Chipre, con el Seleccionador Nacional.
Medalla de Bronce. Año 2005.

Plantel de luchadores de la Selección Nacional en Chipre.

Francisco Javier Plaza Torres

Este charro de pro, al que he tenido que esperar pacientemente hasta que con motivo de la Semana Santa 2017 viniera desde la Costa del Sol a Salamanca para retomar el paisaje y paisanaje, y "jartarse" de familiaridad, para tener una amena charla y enterarme de los entresijos y éxitos de su vida deportiva, y por ende, de la trascendencia que ha tenido y tiene en el desarrollo de su trabajo como miembro de las Fuerzas de Seguridad del Estado.

Javier Plaza Torres nació en el Barrio de la Prosperidad, en los aledaños de la Plaza de Trujillo, en el año 1974. Cursó estudios en el Colegio San Estanislao de Koska y terminó brillantemente como Técnico Superior de Actividades Físicas y Deportivas en el IES. "Mateo Hernández" de Salamanca.

Francisco Javier Plaza Torres. Campeón de España y de Europa.

Con su preparador Manu (padre) el día que se proclamó Campeón de España, 2006.

En el año 1992 se inicia en los deportes de contacto en el Gimnasio Nirvana de Salamanca, teniendo como profesores a Manuel García Ramiro (Manu padre) y a Juan Pedro Serna. Dentro de las Especialidades del Kickboxing se decanta por el Full Contact, que simultanea con la práctica del Noble Arte del Boxeo, teniendo como mentores y ejemplo a dos extraordinarios boxeadores salmantinos: Félix García Losada, nueve veces Campeón de España y dos veces Subcampeón Mundial del Peso Gallo, que también disputó el Campeonato Intercontinental, y el extraordinario

Con grandes campeones, hornada de Manu, 1990.

Campeón de España contra Jesús Peral, vencedor a los puntos el 22 de abril de 2006.

Un momento del Campeonato de España.

Campeón "Minguela", al que se le conocía también por pertenecer al grupo familiar de los "pingüinos".

Solamente participó en dos veladas de boxeo en el Pabellón de la Alamedilla en el Torneo Inter-Clubs.

Se centra definitivamente en el Full Contact donde recibe enseñanzas y duros entrenamientos durante tres años, debutando en el Pabellón de Deportes de Salamanca con un duro oponente, el resultado del combate fue mach nulo.

Hizo muchos combates en diversos torneos de Castilla y León obteniendo muy buenos resultados. Poco a poco fue encontrando su sitio en el ring y depurando su técnica hasta convertirse en un excelente luchador. Midió sus fuerzas, con éxito, con relevantes contrincantes que llegaron a ostentar varios Campeonatos Mundiales.

En 1996 se proclama Campeón de Castilla y León. Medalla de Oro.

También en 1996 obtiene Medalla de Oro como Campeón de España.

En 1997 Nuevamente obtiene Medalla de Oro como Campeón de Castilla y León y queda Subcampeón, Medalla de Plata en el Campeonato de España.

Con motivo de ser nombrado Miembro de las Fuerzas de Seguridad abandona temporalmente este deporte por ser destinado a varias localidades.

Es destinado a Andalucía en el año 2006 y retoma la competición teniendo clamorosos éxitos.

Le nombran Miembro de la Selección Andaluza y obtiene Medalla de Oro como Campeón Autonómico del 2006.

El mismo 2006 se proclama Campeón de España en Salamanca, el día 22 de Abril, peleando en su tierra, con licencia Federativa de Andalucía.

También en 2006 participa en los Juegos Mundiales que organizó la Comunidad en Sevilla. Se celebró el Campeonato de Europa de Kickboxing y Full Contact. El día 10 de Septiembre de 2006 se proclama Campeón de Europa, Medalla de Oro.

Es proclamado Deportista de Alto Rendimiento por la Junta de Andalucía y le conceden una Beca-Salto.

Es destinado a la preciosa localidad de Estepona donde rige como Director y Profesor, fundando el Club de Kickboxing y defensa personal de Estepona, desde el año 2010.

Anteriormente había impartido enseñanzas en el Gimnasio Young Warrior de Marbella, junto a Ricardo Dueñas –Campeón del Mundo– profesional.

Francisco Javier Plaza Torres tiene cinturón negro 2.º DAN de Kickboxing y 1.º DAN en Defensa Personal Policía.

Varios de sus alumnos han obtenido medallas de oro los Campeonatos de Andalucía.

Junto a Jesús Eguia, Presidente de la Federación Española de Kickboxing es entrenador de defensa personal policial en Marbella.

Campeón de Europa. Medalla de Oro en Sevilla, 2006.

Imparte cursos de formación para la Seguridad Privada, habiendo sido habilitado por la Dirección General de la Policía.

Nuestro paisano, que tiene fama de ser un excelente amigo de sus amigos, tiene un carácter afable y parece que ha encontrado el elixir de la eterna juventud, está exactamente igual que hace varios lustros.

Gracias Javier, No te olvides nunca de tu tierra ni de tu gente.

M.ª Ángeles Fernández Bellanco

No ha sido fácil localizar a María de los Ángeles Fernández Bellanco. Una vez mas he tenido que recurrir a la prodigiosa memoria del Maestro Manuel García Ramiro, y robarle alguna hora de su precioso tiempo para bucear en los datos que, a lo largo de 40 años, tiene almacenados y ordenados de forma exquisita.

Recordaba uno a uno todos sus triunfos y galardones, aún así comprobamos acta por acta la fecha, lugar y modalidad en la que fueron conseguidos.

Durante años fue su entrenador, consejero y mentor y, a pesar del paso del tiempo,, conserva una extraordinaria relación con su alumna-hija deportiva.

María de los Ángeles, nació en Eljas (Cáceres) el día 1 de Abril del año 1977. Extremeña de nacimiento y Charra de vocación reside en una bonita ciudad española ubicada a la orilla del Mediterráneo, donde ejerce como funcionaria. Tiene un carácter dulce que compagina con una férrea disciplina y una excelente preparación física que exige y condiciona su trabajo.

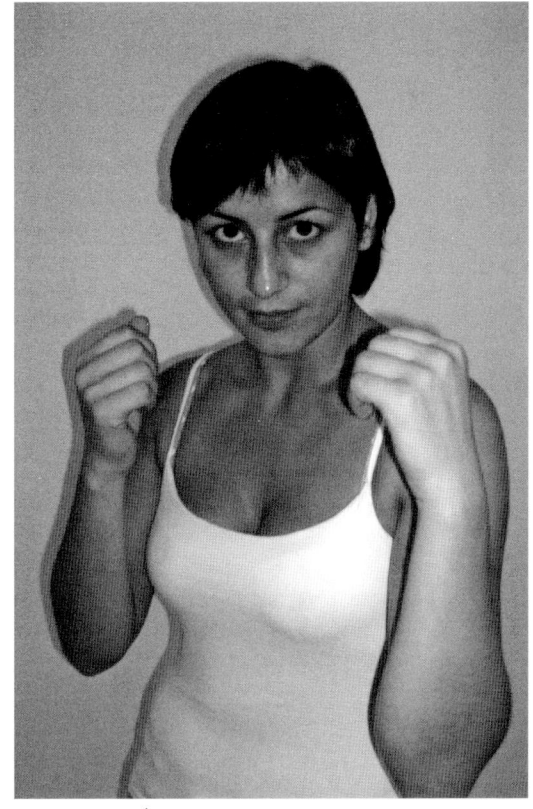

María de los Ángeles Fernández Bellanco.

Me ha sorprendido su apellido: Bellanco, he buscado en el baúl de los recuerdos y resulta que es familia de Payo Bellanco, extraordinario boxeador que nos

Campeonato de Europa. Medalla de Oro.

honró con su presencia y nos deleitó con su técnica en los años sesenta, del pasado siglo, a los aficionados al Noble Arte del Boxeo en Salamanca.

Su titulación académica, en el ámbito deportivo, es prolija y determinante en el ámbito del Kickboxing, además de ser una excelente campeona en el mundo de la competición también es entrenadora y arbitro.

- Entrenadora Nacional de Kickboxing Americano.
- Entrenadora Nacional de Kickboxing Oriental.
- Cinturón Negro, 2.º nivel, Kickboxing Oriental.
- Cinturón Negro, 2.º nivel, Kickboxing Americano.
- Arbitro Nacional de Kickboxing Oriental y Americano.

Campeonato de Europa. Medalla de Oro.

- Entrenadora en prácticas de la Escuela de Promoción Municipal del Kickboxing del Excmo. Ayuntamiento de Salamanca, (2004).
- Entrenadora del Club Élite (Desde 2005 al 2007).
- Entrenadora del Centro de Tecnificación de la Federación de Kickboxing de Castilla y León (2005 al 2007).

Historial deportivo

- Campeona de Castilla y León. Medalla de Oro, Full Contact, 2003.
- Campeona de España. Medalla de Oro de Ligth Contact, año 2004.
- Campeona de España. Medalla de Oro de Light Contact, año 2005.
- Campeona de España. Medalla de Oro de Full Contact, año 2006.
- Campeona de Europa. Medalla de Oro de Full Contact, año 2006. Sevilla.
- Campeona de Europa de Koshiki Control. Medalla de Oro, año 2006. Sevilla.
- Campeona de Europa de Koshiki Contact. Medalla de Oro, año 2006. Sevilla.
- Subcampeona de España. Medalla de Plata de Full Contact, año 2009.
- Subcampeona de España. Medalla de Plata de Koshiki, año 2009.

Campeonato de Europa. Sevilla 2006. Medalla de Oro en Full Contact, Koshiki Control y Koshiki Contact.

Campeona de Castilla y León. Medalla de Oro, 2004.

Con una excelente técnica siempre fue muy aplaudida en sus combates, gozando de admiración, consideración y respeto de los aficionados que en ella veíamos pundonor y una especial casta.

María de los Ángeles Fernández Bellanco tiene una bella y dura historia tras de sí, llena de trabajo, lucha, tesón y fuerza inaudita para conseguir sus proyectos, en la que la práctica de Kickboxing ha sido determinante para fortalecer su autoestima y luchar, luchar, luchar…

Les doy mi palabra de honor de que me ha emocionado el conocer los pormenores de esta valiente luchadora y el concepto de respeto, admiración y veneración que continúa teniendo del maestro García Ramiro. Le he pedido permiso para que en su Historia figuren.

…"Ramiro siempre ha ayudado a formar a todos los deportistas de Kickboxing de la Federación, aunque no fueras alumno suyo"…

…"En el año 2003 decido entrenar con Manuel García Ramiro, desde ese momento mi vida deportiva da un giro completo para mejor. Es un gran entrenador, una bellísima persona que está al lado de sus alumnos siempre, ayudándoles en el plano deportivo y en el personal. Es un motivador nato"…

Campeona de Castilla y León. Medalla de Oro, 2003.

…"En el año 2006, Ramiro me inscribe en Full Contact, en menos de 58 kg., le comento que haré lo mejor que pueda. Me contesta que con eso se conforma. Superé el Campeonato de Castilla y León y el Campeonato de España…" (Dos Medallas de Oro).

…"Tras ese resultado, Ramiro vuelve, como siempre, a ver mas allá que los demás, incluida yo misma, y me propone ir al Europeo, en tres modalidades diferentes, tuve la gran suerte de traer a Salamanca tres Medallas de Oro. Tricampeona de Europa. Mi

Con el Alcalde de Salamanca celebrando el Triunfo de Campeones de Europa.

entrenador siempre confió en mí y me dio la fuerza necesaria para poder ganar, con su conocimiento, su motivación, su fuerza y su ilusión por el Kickboxing"…

…"El Kickboxing es un deporte maravilloso que me lo ha dado todo en la vida, ya que gracias a él, y a las personas que lo componen, hoy en día yo soy quién soy. Me ayudaron a crecer como persona, como deportista, a construir un futuro y hacer mis sueños realidad"…

…"Especialmente se lo debo a él y a Miguel Ángel López Gil, personas maravillosas y buenas que ayudan a realizar los sueños de todo el que se cruza en su camino. También tengo una gran familia dentro del Kickboxing, son gente especial"…

Gracias, Gracias, Gracias.

Karl Zieke del Estal

Nació el 22 Junio de 1987.

Comienza sus entrenamientos bajo la disciplina del maestro Manuel M. García Ramiro

En el año 2006. Cuando llegó a Salamanca para cursar estudios de Medicina. En la actualidad es médico en ejercicio en Suiza, pero añora volver a España, y por ende a Salamanca y retomar los entrenamientos y la profunda amistad con sus compañeros de gimnasio.

Apenas he encontrado datos de Karl, pero el testimonio de sus amigos es coincidente con la información recabada en el Gimnasio Élite: Simpático, buen deportista, tenaz, valiente, muy bien preparado, noble y con madera de campeón.

Con pocos meses de entrenamiento entra de lleno en el mundo de la competición, en el que permanece durante cuatro años y obtiene unos excelentes resultados. Que hemos cotejado en las Actas de la Federación.

Karl Zieke del Estal

Subcampeón de España, 2010.

Debut profesional K-1. -71 kg. Campeón de España. Segovia, 18 de junio de 2011.

Campeón de Castilla y León, 2007. Con su preparador Manuel M. García Ramiro.

- Subcampeón de España. Medalla de Plata en la modalidad de Oriental Style en el año 2008.
- Campeón de España. Medalla de Oro en Full Contact, año 2009.
- Campeón de España. Medalla de Oro en Oriental Style, año 2009.
- Tercer clasificado. Medalla de Bronce en el Campeonato del Mundo de Full contact, Madrid 2009.
- Medalla de Bronce. Tercer clasificiado en el Campeonato de España de Boxeo Olímpico, año 2009.
- Galardonado con la beca Relevo (senior) al deportista, por la Junta de Castilla y León, año 2009.
- Campeón de España neoprofesional. Medalla de Oro de Full contact en el año 2009
- Subcampeón de España. Medalla de Plata de Full contact, año 2010.
- Subcampeón de España. Medalla de Plata de Oriental Style, año 2010.
- Campeón de España neoprofesional. Medalla de Oro de Low-kick, año 2011.
- Subcampeón de España. Medalla de Plata de Oriental Style, año 2010.
- Campeón de España. Medalla de Oro de Low-kick en el año 2011.

Todos los combates celebrados y todos los triunfos obtenidos han sido en la categoría de menos de 71 kg. de peso.

Eduardo Pérez Cruz

Nació en Santa Cruz de Tenerife el día 18 Diciembre de 1981.

Comienza su andadura deportiva a los 16 años en el ámbito de los deportes de contacto. Tras un año de entrenamiento obtiene Medalla de Bronce en el Campeonato de España de Boxeo, en la categoría Junior.

Comienza sus estudios de Derecho en Tenerife en el año 2000. Dos años después se traslada a la Universidad de Salamanca para continuarlos, que simultanea con la práctica del Kickboxing en el Gimnasio Nirvana, teniendo como preparador al Maestro Manuel García Ramiro, con el que continúa en la Escuela Élite.

Eduardo Pérez Cruz en el ring, con su preparador el maestro Manuel M. García Ramiro.

Termina sus estudios con honores y comienza una nueva etapa profesional de Formación y Especialidad – Dos nuevos Masters en Derecho Privado Patrimonial y en Práctica Jurídica.

Cursos profesionales

Curso de Derecho Penitenciario.
Curso de Mediación.
Curso Superior de Derecho Concursal.

Este joven y prestigioso jurista se ha acreditado profesionalmente, de tal forma que es el Director de tres bufetes de abogados, con oficinas en Salamanca, Badajoz y Santa Cruz de Tenerife. Especializados en Derecho Mercantil y Derecho Penal. En la actualidad lleva El Tema de la Administración Concursal de la Unión Deportiva Salamanca.

El exceso de trabajo cotidiano y el riesgo al estrés trata de evitarlos, sabiamente, con la práctica y la competición del Noble Arte del Boxeo y de las distintas modalidades del Kickboxing, deportes en los que ha conseguido un extraordinario palmarés.

Campeonato de Castilla y León, 2006.

Historial deportivo

Su último y reciente logro ha sido proclamarse Campeón de Castilla y León. Medalla de Oro en menos de 75 kg. y clasificarse para disputar el Campeonato de España de Ring Sport.

Campeonatos de España

- Campeón de España. Medalla de Oro en Low-Kick (neoprofesional) año 2009 en menos de 75 kg.
- Campeón de España. Medalla de Oro en Low-Kick, año 2010, 81 kg.
- Campeón de España. Medalla de Oro en Full Contact, año 2011.
- Campeón de España. Medalla de Oro en Low-Kick, año 2011, 81 kg.
- Campeón de España. Medalla de Oro en Full Contact, año 2012, 81 kg.
- Campeón de España. Medalla de Oro en Low-Kick, año 2012, 81 kg.
- Subcampeón de España. Medalla de Plata en Low-Kick, año 2005.
- Subcampeón de España. Medalla de Plata en Full Contact, año 2008.
- Subcampeón de España. Medalla de Plata en Full Contact, año 2010.

Campeonato de Castilla y León, 2006.

Campeón de España, 2010.

Campeón Mundial W.A.K. Medalla de Oro. Portugal, 2010.

- Dos Medallas de Bronce en sendos Campeonatos de España en los años 2004 y 2008, en Low-Kick.

Campeonatos y galardones mundiales

- Subcampeón Mundial. Medalla de Plata. Ucrania, año 2011 en 81 kg.
- Medalla de Bronce. Campeonato Mundial de Low-kick en Tesalónica (Grecia), año 2012 en 81 kg.
- Medalla de Bronce. Campeonato Mundial de Low-kick en Ucrania, año 2011 en 81 kg.
- Medalla de Bronce en el Open I.S.K.A. de Kickboxing oriental en el año 2010 en 81 kg.
- Campeón del Mundo

Campeonato de Castilla y León, 2005.

de la W.A.K. Medalla de Oro, celebrado en Caldas de Rainha (Portugal) en abril de 2016.

Es posible que no se lo crean, pero les prometo que es cierto. La entrevista la hemos realizado en el vestuario y en una silla de la primera fila, junto al ring, viendo en el Pabellón de Deportes de la Alamedilla una velada de boxeo en homenaje y recuerdo del fallecimiento de Daniel San Matías. En la que también ha participado el titular de esta Historia Deportiva, y obtenido una clamorosa victoria, muy aplaudida por el público.

Sergio Estévez Bustos

Salmantino, nacido en el año 1991. Vecino de Villamayor desde siempre y muy querido por los amigos y vecinos que le han visto crecer.

Alumno del Colegio Salesiano donde cursa todos los estudios previos a los universitarios. (ESO y BUP). En la Facultad de Derecho termina con todos los honores la Diplomatura en Criminología, en el año 2012.

Vida deportiva

Es muy prolija y cuajada de éxitos que acreditan los certificados oficiales expedidos por el Director Técnico de la Federación de Kickboxing de Castilla y León, que además ha sido su entrenador y Maestro durante todos los años que se ha dedicado a la competición.

Sergio Estévez Bustos.

Trataré de simplificar su abultado palmarés para informarles que es un auténtico Campeón, con un carácter afable y temido por sus adversarios. Su lucha es limpia, noble y contundente con una sorprendente y recia utilización de los pies, sus "barridos" son rápidos y letales y con frecuencia el adversario termina en el suelo del ring.

Año 1999. Colegio Francisco de Vitoria, en primer término Manu hijo.

Comenzó a practicar el Kickboxing a los seis años. Entre otros centros, en el Colegio Francisco Vitoria se impartían clases de iniciación en la Escuela Deportiva, allí estuvo hasta los 13 años de edad.

En el Gimnasio Nirvana estuvo dos años, hasta que se crea la Escuela de Kickboxing Élite. Desde los 10 años compite con éxito:

Campeonatos de Castilla y Leon

En la modalidad de Semi contact obtiene siete campeonatos de Castilla y León (siete Medallas de Oro) en los años 2001, 2002, 2003, 2004, 2009, 2011 y 2012 y medalla de plata – subcampeón en el año 2005.

En la de Light contact se proclama cuatro veces Campeon de Castilla y León (cuatro Medallas de Oro). En los años 2006, 2009, 2011 y 2012.

Campeón de Koshiki. Medalla de Oro en el año 2006.

Campeón de Castilla y León. Villares de la Reina, 2011.

Campeones de Castilla y León. Equipo Selección para el Campeonato de España, 2011.

En plena lucha.

*Campeón
del Torneo
Interclubs.
Salamanca, 2012.*

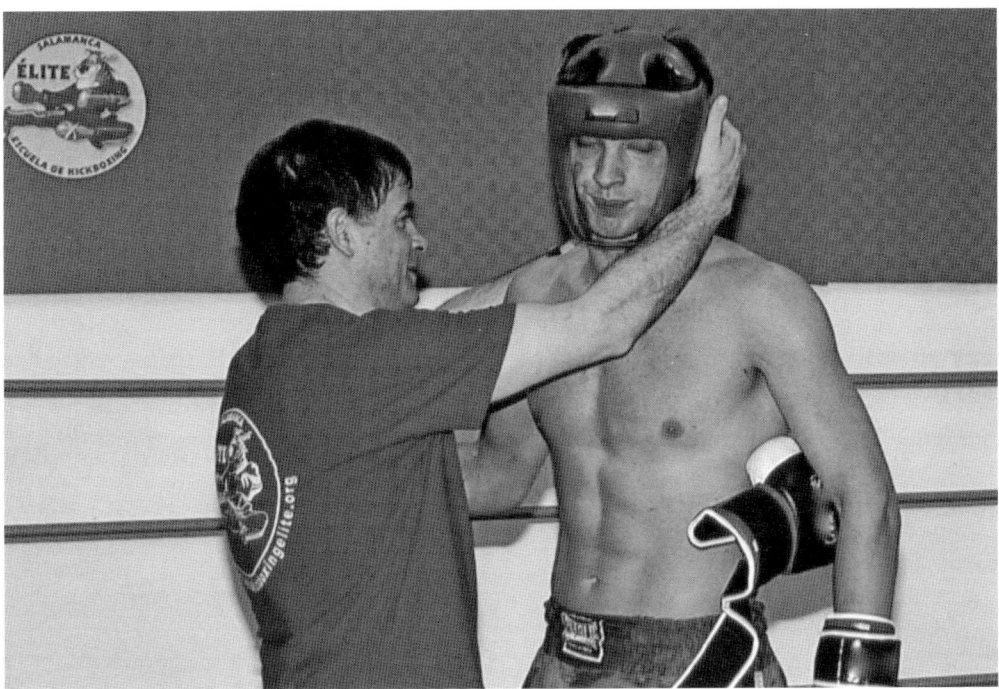

Con su maestro Manuel García Ramiro.

Campeonatos de España

- Dos veces Campeón de España. Dos Medallas de Oro en Semi Contact en los años 2009 y 2011.
- Campeón de España. Medalla de Oro en la categoría de neoprofesional en Semi contact el año 2011.
- Tres Medallas de Plata. Subcampeón de España en los años 2006, 2011 y 2012.
- Campeón de España. Medalla de Oro en la categoría de neoprofesional, en la modalidad de Light contact en el año 2011.
- Medalla de Bronce, tercer clasificado en el año 2003.

Campeonato del Mundo

- Subcampeón del Mundo en Semi contact. Medalla de Plata en Ucrania.

Está en posesión y acreditado como cinturón negro en 1.º, 2.º y 3.º grado por la Federación Española de Kickboxing.
Arbitro B.
Entrenador 1.º nivel.

Selección Española para el Campeonato del Mundo en Ukrania (Kiev). Sergio Estévez Bustos (arriba 4.º por la derecha). Subcampeón del Mundo.

Sergio Estévez Bustos, dejó el mundo de la competición para centrarse en la preparación de los exámenes para la oposición de Fuerzas de Seguridad del Estado, ha superado el período de prácticas y está pendiente de destino.

En sus proyectos figura el reincorporarse a la práctica del Kickboxing y sus modalidades.

Gracias Sergio, te deseo lo mejor. ¡Te lo mereces!

Francisco Terrero Domínguez

Nació, y es un personaje muy querido, en la vecina localidad de Calzada de Valdunciel.

Joven, dinámico, simpático, afable… Y un excelente campeón.

Me cuesta mucho trabajo perdonar su pereza en el envío de documentación e historial deportivo. Por fin, el día 11 de Agosto 2017, me fue entregado a través de su Madre Política, que por cierto cuenta maravillas de su yerno.

Francisco Terrero Domínguez reside, por razones de trabajo, en Tenerife y les aseguro, que tanto su historia personal como de luchador de Kickboxing me ha emocionado y sorprendido.

Me cuenta y desmenuza su vida en 11 folios, digo bien, 11 folios, de consideración y amor hacia su esposa, a la que por cierto conoció en la Escuela de Kickboxing Élite. Su suegro también ha practicado este deporte.

El respeto, admiración y cariño hacia su Maestro Manuel García Ramiro está latente en cada renglón y en cada palabra. Sus enseñanzas le han cambiado completamente su tediosa vida llena de riesgos por una tranquilidad de espíritu y disfrute de las cosas positivas que nos brinda el llegar una existencia plena llena de seguridad y confianza en si mismo.

Francisco Terrero Domínguez

Campeonato de España.

Dice y pondera que el Maestro le abrió las puertas y hasta el día de hoy le ha tratado como a un hijo. (Frase que me resulta muy familiar puesto que casi la totalidad de los luchadores que figuran en este trabajo vienen a decir lo mismo).

De sus compañeros de gimnasio en esta actividad dice:

…"Te estimula saber que después de toda una jornada de tensiones y sinsabores en el mundo del trabajo, al final de la tarde tienes una válvula de escape y disfrute con los compañeros de entrenamientos"…

…"Nadie es mas que nadie, ni mucho menos por razones de sexo, raza, discapacidad… tenemos que saber ayudar y generar autoconfianza en cada compañero"…

Constantemente evoca los consejos y frases de su mentor :

Campeonato de Castilla y León.

…"No hay peor enemigo que nosotros mismos, y no hay nada tangible que no podamos superar con esfuerzo y sacrificio incondicional"…

No se pierdan lo que dice de su esposa:

…"El amor de mi vida, mi esposa coral, quién me supera en batallas, pués ya peleaba en competiciones nacionales, y con quién comparto esta pasión por el deporte"…

Historial deportivo

Comenzó a practicar este deporte en el año 2005, cansado de insatisfacciones y juergas con sus amigos, aprendió a disfrutar plenamente del descanso, y a encontrarse a si mismo.

Comienza a cosechar triunfos en torneos interclubs, Campeonatos de nuestra Comunidad y combates de rango nacional con otras Comunidades Autónomas.

Durante los años 2013 y 2014 obtiene galardones y triunfos que compensan años de dedicación y aprendizaje:

- Año 2012: Subcampeón de España. Medalla de Plata en Light Contact.
- Año 2013: Campeón de España. Medalla de Oro en Light Contact.
- Año 2013: Campeón de España. Medalla de Oro en Light Contact, Neoprofesional.

Con Javier Castillejo. Varias veces Campeón del Mundo de Boxeo.

Campeón Nacional de Savate (Boxeo Francés).

Campeón de España Koshiki.

Campeonato del Mundo de Light Contact. Medalla de Bronce.

Campeón de España Neoprofesional.

Celebrando los éxitos con sus amigos.

- – 2013: Campeón Nacional, Open de España de Savate (Boxeo Francés)
- – 2013: Medalla de Bronce, Campeonato del Mundo Light Contact.
- – 2013: Subcampeón del Mundo, Medalla de Plat, Semi Contact.
- – 2014: Campeón de España. Medalla de Oro Semi Contact.
- – 2014: Campeón de España. Medalla de Oro en Light Contact.
- – 2014: Campeón de España. Medalla de Oro en Koshiki.
- – 2014: Campeonato del Mundo. Medalla de Bronce en Semi Contact.
- – 2014: Medalla de Bronce. Campeonato del Mundo en Light Contact.
- – 2014: Subcampeón. Medalla de Plata, Torneo Nacional de Savate (Assaut).

A pesar de la distancia el Francisco Terrero Domínguez y su esposa Coral se siguen considerando charros por los cuatro costados.

Espero que pronto pueda conoceros personalmente y desearos felicidad eterna.

Juan Carlos García Cruz

Nacido en Salamanca en el año 1991. Comienza a educarse en el Colegio Divino Maestro y termina el Bachillerato en el Antonio Machado. Cursa en el IES. Mateo Hernández el Ciclo Formativo de Grado Superior en Actividades Físicas y Deportivas, adquiriendo el Título de Técnico Superior. Cursa estudios en la Escuela Universitaria de Fisioterapia, que abandona al incorporarse al Ejército, como militar profesional.

Muy buen deportista y excelente jugador de futbol-sala, deporte que abandona al sufrir una lesión de menisco.

Juan Carlos García Cruz

Premios excelencia deportiva de Castilla y León.

*Campeón
de Castilla y León
en Semi Contact
y Light Contact*

Comienza sus entrenamientos de Kickboxing en el Gimnasio Élite en el año 2006, bajo la disciplina y tutela del maestro Manuel García Ramiro (Manu padre) hasta el año 2013. Continúa como alumno de Manuel García Sánchez (Manu hijo).

Tiene un excelente historial deportivo cuajado de triunfos:

Durante los años 2007, 2008 y 2009 obtiene Medallas de Plata en los Campeonatos de Castilla y León. En las Modalidades de Light Contact y Semi Contact en -70 kg.

- Año 2010: Medalla de Plata en Semi Contact y Light Contac en el Campeonato de Casilla y León, -70 kg.
- También en el año 2010 obtiene Medalla de Oro en el Campeonato de Castilla y León, en la Modalidad de Koshiki, -70 kg.
- Año 2010: Medalla de Plata en el primer Campeonato de España de Koshiki que se celebró en Salamanca, -70 kg.
- Año 2011: Medalla de Oro. Campeón de España de Koshiki, celebrado en Salamanca en -70 kg.
- Año 2012: Medalla de Plata en el Campeonato de Castilla y León en Semi Contact y Light Contact.
- Año 2013: Medalla de Plata en el Campeonato de Castilla y León en Semi Contact, Light Contact y Koshiki en -70 kg.

Campeonato de España de Koshiki. Salamanca, 2011.

- Año 2014: Medalla de Oro. Campeón de Castilla y León en Semi Contact y Light Contact en +80 kg.
- Año 2014: Campeón de España. Medallas de Oro (2) en Semi Contact y Light Contact en +85 kg.

Medalla de Oro. Campeonato de España en Semi Contact. Madrid, 2015.

Medalla de Oro.
Campeonato de España
en Light Contact. 2015.

Medalla de Oro.
Campeonato de España
en Semi Contact.
Madrid, 2015.

Medalla de Oro.
Campeonato de España
en Light Contact. 2015.

Medalla de Plata.
Campeonato del Mundo
en Semi Contact
y Medalla de Bronce
en Light Contact.
Santorini (Grecia) 2014.

Medallas de Plata y Bronce en el Campeonato del Mundo en Grecia.

- Año 2014: Medalla de Plata, Subcampeón del Mundo en Semi Contact, y Medalla de Bronce en Light Contac, combates celebrados de Santoril (Grecia) en +80 kg.
- Año 2015: Dos Medallas de Oro en los Campeonatos de España y de Castilla y León, en Semi Contact y Light Contact.
- Año 2017: Medalla de Oro, Campeón de Castilla y León y clasificado para el Campeonato de España en Light Contac.

Desde el año 2015 es miembro de nuestras Fuerzas Armadas. Ejército Español.

Juan Carlos García Cruz es un excelente Campeón, con experiencia en el ring y depurada técnica. Valiente, con una excelente pegada y un estilo muy personal.

Es una excelente persona, amable, asequible, respetuoso, con un concepto muy arraigado de disciplina en sus entrenamientos, y orden extremo en su vida cotidiana.

Hemos tenido una interesante charla, de la que reproduzco alguna de sus opiniones sobre estos deportes y los beneficios y equilibrio que proporcionan:

…"Desconectas de todo y te metes en el deporte de alta competición. Te centras en el Deporte"…

…"Conoces a excelentes compañeros, son los que te hacen aprender y superarte. Entras en un buen ambiente de amigos y compañeros. Al margen de los entrenamientos siguen siendo tus amigos"…

…"Las Artes Marciales te relajan, te enseñan a defenderte y a canalizar la energía"…

…"Es necesario que haya disciplina y admiración por tu maestro o profesor"…

…"Considero necesario el deporte en el vida cotidiana, proporciona buen espíritu de superación. Te enseña a saber aceptar la derrota y a trabajar duro para intentarlo otra vez"…

…"Considero imprescindible la concentración, y seguir las instrucciones del preparador"…

Gracias Juan Carlos, ha sido un placer el conocerte un poco mejor.

Alejandro García Nieto

Salmantino, y charro de condición, nació en el año 1993 en el antiguo Teso de la Feria, que ahora se conoce como entorno del Parador Nacional.

Cursó la E.S.O. en el Colegio Alfonso X y el bachillerato en las Siervas de San José.

Su, más que vocación, pasión por los deportes de contacto se despertó al ver en Televisión Salamanca una entrevista que hicieron al maestro Manuel García Ramiro (Manu padre) Cambió las botas de futbol por los guantes de competición.

Inmediatamente se matriculó en el gimnasio y comenzó un duro aprendizaje en el que compaginaba su formación física con su preparación mental. Poco a

Alejandro García Nieto.

poco fue canalizando su energía, durante aproximadamente un año, y comienza a recoger los frutos de esta actividad que le proporcionaba seguridad, confianza en si mismo y un disciplinado concepto de respeto hacia su Maestro.

En el año 2009, a los 16 años, queda Campeón de Castilla y León, Medalla de Oro, categoría Junior, en menos de 70 kg. en el Pabellón de Deportes de la Alamedilla.

En 2011 pasa a la categoría de Senior y se proclama nuevamente Campeón de Castilla y León en menos de 75 kg.

Campeonato de España. Medalla de Oro, 2012.

Desde el año 2010 hasta el 2016 queda diez veces Campeón de España. Diez medallas de Oro en Kickboxing, Categoría Senior.

Me cuenta una anécdota que le ocurrió en Madrid en el año 2011: ..."Estando en el hotel concentrado para disputar el Campeonato de España, sin saber porque sufrí una reacción alérgica que me inflamó todo el cuerpo y me produjo una erupción cutánea con dificultad respiratoria. Solamente se enteró mi compañero de habitación. Tuve que llevarlo en secreto, pues consideré que si se lo hubiera dicho al preparador no me hubiera consentido participar en el evento. Pedimos permiso para salir a dar un paseo y con varias duchas fritas conseguí mitigar el picor y malestar. Pude participar y conseguí quedar Campeón de España"...

En 2011 también fui seleccionado para el Campeonato del Mundo de Semi Contact que se celebró en Kiev, Quedé Subcampeón del Mundo. Medalla de Plata.

Equipo Nacional de Kickboxing. Campeonato Mundial de Kiev, 2011.

Campeonato de España. Medalla de Oro, 2015.

Campeonato de España. Medalla de Oro, 2016.

- Año 2013: Obtuvo Medalla de Oro al quedar Campeón de España de Savate (Boxeo Francés).
- Año 2014: Participó en el más importante trofeo Mundial, el Best Fighter (Mejor luchador) de Light Contact, celebrado en la ciudad de Lignano (Italia), obteniendo la Medalla de Bronce.

Recientemente, el pasado año 2016 está considerado como su mejor año deportivo:

En la Modalidad de Sun Explosion, celebrado en Benidorm obtiene Medalla de Plata en menos de 74 kg.

En la competición por el Trofeo Irish Open de Light contact de menos de 79 kg. es premiado con la Medalla de Bronce.

Participa en el Trofeo Austrian Clasicc de Light Contact de menos de 74 kg. siendo galardonado con Medalla de Bronce.

Consigue proclamarse Campeón del Mundo. Medalla de Oro en Sun Explosion de Light Contact en Benidorm.

Alejandro García Nieto ha sido Profesor de Kickboxing en el Colegio Salesiano de Pizarrales (Actividades extraescolares) y en el Gimnasio de Alba de Tormes.

Campeonato de España. Medalla de Oro, 2016.

Irish Open. Medalla de Bronce -79 kg. Irlanda, 2016.

Austrian Clasicc de Light Contact siendo galardonado con Medalla de Bronce

En la actualidad está henchido de gozo porque ha comenzado a impartir enseñanzas en el Gimnasio Élite, bajo la supervisión de su maestro Manuel García Ramiro (Manu padre) a quién admira y considera.

Comenta con alegría y convencimiento que …"Los deportes de contacto forman parte de mi vida. El Maestro es el padre, los alumnos sus hijos. Somos como hermanos, …buenos y grandes amigos"…

Alejandro disfruta de una pequeña moto, en ella se aleja de lo mundanal buscando paz y concentración en la naturaleza.

Me comenta que la práctica de estos deportes está creciendo. De hecho en poco tiempo se han abierto varios gimnasios que frecuentan niños en edades tempranas.

…"La visión de los padres ha cambiado, las futuras generaciones no deben conformarse con un mayor desarrollo cultural e intelectual. También se educarán físicamente"…

Me ha llenado de satisfacción la nobleza de Alejandro, su sencillez, simpatía y respeto.

¡¡¡ Gracias Campeón !!!

Hassan Bouzidi Smaha

Nació en Nador (Marruecos), muy cerca de Melilla. Llegó a Salamanca en Agosto de 1989.

Se ubicó en casa de su hermano y tuvo que ir a la Escuela de Idiomas para aprender español, solamente conocía dos palabras "hola y adiós". Procede de una familia en la que nunca nadie practicó deportes de contacto.

Se inició en la práctica de las Artes Marciales con el karate, bajo la disciplina de su Maestro Mimoun Boulahfa, con él aprendió los secretos del Seidokanm, Goya Riu, Motubo Udunti, Judo y Kobudo. Poco a poco fue guiado para conocer su cuerpo, aptitudes, y tener un concepto sublime sobre la disciplina inculcada por su Maestro.

Consigue el cinturón negro 1.º Dan de Karate Seidokan en el año 1995.

Cinturón negro 1.º Dan en Motubo Udunti Kobujustsu año 1996.

Cinturón negro 1.º Dan en Kobudo. Año 1996.

Todos ellos otorgados por la Asociación Nacional Sakura Take Kan, de Salamanca.

Hassan Bouzidi Smaha.

Con su maestro Mimoun, 9.º DAN de Karate.

Se enteró por un amigo que el día 14 de Marzo 1997 se celebraba en Salamanca el Campeonato del Mundo de Kickboxing en el Pabellón de Deportes de la Alamedilla. Los contendientes eran Manuel García Ramiro contra Zambarino, un charro contra un italiano.

Me comenta que fueron 12 asaltos, muy igualados, que le hicieron vibrar. Le gustó tanto el combate que el lunes siguiente fue a hablar con Manuel para ponerse en sus manos,

…"Quería que me enseñara y me preparara para ser Campeón del Mundo. Durante todo este tiempo

Con los maestros Mimoun y Seikichi Vehara.
Todo un mito en Karate

los entrenamientos bajo su tutela fueron muy duros"… Entrenaba a tiempo completo, tres días a la semana como luchador de Kickboxing, y otros tres completaba su preparación física y mental. Por entonces su maestro Manuel García Ramiro estaba preparando exhaustivamente el próximo Campeonato del Mundo contra Oscar Lara.

…"Un día de entrenamientos con guantes me enseñó que con lo blando se rompe lo duro"… Durante el entrenamiento yo lanzaba golpes muy fuertes, él me corregía diciendo que lanzara golpes más técnicos, que podían hacer mas daño que los golpes fuertes".

…"Desde entonces lo recuerdo diariamente en mis entrenamientos y sigo los consejos que con su sabiduría me enseñó. A Él le sigo consultando mis dudas y acato sus sabios consejos"…

Sus enseñanzas han sido necesarias para que en veinte años haya obtenido premios, galardones y consideraciones importantes que me han servido de estímulo y satisfacción y me han abierto las puertas del futuro.

Algunos de los trofeos conseguidos desde 1999 a 2008.

Compaginando varios deportes de contacto hace una breve, pero fructífera, incursión en el Deporte Rey, practicando el Noble Arte del Boxeo.

Se proclama Campeón de Castilla y León del peso ligero amateur durante los años 2003 y 2004 contra el púgil Raúl Peña.

Campeón de Castilla y León, 2004 contra Raul Peña.

Pasando al campo profesional realiza varios combates ganando la mayoría por K.O. Técnico.

Miembro de la Selección Nacional de Boxeo los años 2004 y 2006.

Hassan y sus logros en el Kickboxing.

Como discípulo adelantado de Manuel García Ramiro (Manu padre), golpe a golpe se va convirtiendo en un excelente luchador y un extraordinario preparador.

– Se proclama cinco veces Campeón de Castilla y León de Kickboxing en -67 kg.

Velada Salamanca Boxeo el 24 de mayo de 2005, ganó por KO.

Campeonato de España, conbate con Rafa Martín de Granada.

- Campeón de Andalucía, y de Granada en el año 2008.
- Campeón de España durante los años 2000, 2001, 2002 y 2005.
- Campeón del Mundo en Chipre. Medalla de Oro en el año 2005 en -65 kg.
- Medallas de Plata y Bronce en Campeonatos del Mundo 1999 y 2005 en -67 kg.
- Medalla de Bronce en el año 1999 en Madrid.
- Miembro del Equipo Nacional de Kickboxing durante siete años.
- Miembro de la Selección de Castilla y León siete años.

Experiencia docente

Hassan lleva diez años como Técnico Entrenador de Kickboxing, Full Contact, Light Contact, Semi Contact, Culturismo, Defensa Personal…

Mi amigo Hassan abandonó Salamanca en Junio de 2007 tratando de buscar nuevos horizontes en Marbella (Málaga). En la actualidad es miembro de seguridad de una importante empresa privada.

Obtuvo la Nacionalidad Española en 2001 por carta de naturaleza como deportista de élite.

Hassan, charro de adopción. Campeón del Mundo. Medalla
de Oro en Chipre, 2005.

Fue invitado y saludado por su Majestad el
Rey Juan Carlos I, el martes día 29 de febrero
de 2000 en el Palacio Real para la entrega de
Premios Nacionales de Deporte de 1999.

Entrega de Medalla de Oro y Diploma, Chipre, 2005.

Su Majestad el Rey
(q. D. g.)
y en Su nombre,
El Jefe de Su Casa
tiene el honor de invitar

al Señor Don Hasan Bouxidi

al acto de entrega de los Premios Nacionales del Deporte 1999, que tendrá lugar
en el Palacio Real, el martes día 29 de febrero de 2000, a las 12,00 horas.

José Ángel Gómez Sánchez

Este charro de Ciudad Rodrigo (Salamanca) nació en el año 1976.

Cursó estudios de EGB y Bachillerato en Miróbriga, hasta que se desplaza a Salamanca para cursar los propios de Trabajo Social que supera con un excelente expediente académico.

José Ángel Gómez Sánchez en 2001.
1.ᵉʳ Campeonato de España en Madrid.

Casado y padre de dos hijos trabaja como Educador Social en el Centro de Acogida Padre Damián de Personas sin Hogar de Cáritas Diocesana de Salamanca, desde hace dieciocho años.

Atleta desde muy joven, corredor de fondo y asiduo participante de Maratones y otros eventos deportivos.

Este extraordinario campeón es protagonista de una sencilla pero fructífera historia deportiva, en la que está latente su espíritu de superación y enseñanzas recibidas de sus profesores y Maestro de los que guarda y conserva un excelente concepto y admiración.

Se inició en los deportes de Contacto bajo la disciplina de su profesor, llamado Pedro, en el Gimnasio Chu-Bujay en Ciudad Rodrigo.

Me comenta que su preparador fue alumno aventajado de Dominique Varela, muy conocido por sus méritos también en Francia. Recibió sus enseñanzas desde los 13 a los 18 años de edad.

Recibió información sobre un curso que organizó Manuel García Ramiro (Manu padre) y que impartió el Maestro José Pereira, que contaba en su haber con ocho Campeonatos de Europa. Se impartió en el Pabellón de Deportes de la Alamedilla. Se inscribió en el curso y se desplazaba todos los días para participar del mismo. Definitivamente tomó partida por el Kickboxing, en la modalidad de Full Contact.

Cuando comenzó sus estudios universitarios en Salamanca los simultaneó con los entrenamientos, bajo la disciplina del maestro Manuel García Ramiro, que por entonces era profesor en el Gimnasio Nirvana.

Poco tiempo después éste inaugura la Escuela de Kickboxing Élite, en la Calle Lazarillo de Tormes, y desde entonces continúa siendo l su preparador. Todavía se considera su alumno y conservan una excelente relación.

Velada Internacional España-Portugal, año 2006.

A su Maestro recurre cuando le surge una duda o precisa un consejo. Le considera como Padre Deportivo y conserva intacta su admiración y gran respeto.

Toda su carrera deportiva, como alumno de Manu (padre), la ha compaginado como Profesor de Artes Marciales en el Gimnasio Pasadena, de Salamanca, durante, aproximadamente, trece años.

En el año 2015 rige su propio gimnasio en el Parque de Picasso como Escuela de Kickboxing.

El pasado año 2016 inaugura un super-gimnasio en la calle Río Tera en el Polígono de Mirat, con el nombre de Club Deportivo José Ángel Gómez, con un especial ideario:

…"Pretendo la formación de personas y campeones para la vida. Desarrollar valores a través de estos deportes. Trabajar a niveles competitivos y desarrollo mental"…

José Ángel Gómez Sánchez ya recoge triunfos de sus alumnos en Campeonatos Regionales, Nacionales e Internacionales.

Carrera Deportiva

Campeonatos de España
– Ocho años Campeón de España. Ocho Medallas de Oro de Kickboxing en -72,500 kg.

Campeonato del Mundo. Medalla de Plata en Grecia, 2004.

Semifinal del Campeonato del Mundo. Rival Ucrania en Corfu (Grecia), 2004.

Campeonato del Mundo. Medalla de Oro en Loutraki (Grecia), 2006.

– Años 2001, 2003, 2004, 2006, 2007, 2008, 2010.

Todos estos Campeonatos se celebraron en Madrid, Villaviciosa de Odón.

Campeonato de Europa

– Campeón de Europa de Full Contact. Medalla De Oro en menos de 72,500 kg. Celebrado en Sevilla en el año 2006.

Campeonatos Mundiales de Full Contact

– Año 2004: Celebrado en Grecia. Subcampeón del Mundo. Medalla de Plata.
– Año 2006: Celebrado en Grecia. Campeón del Mundo. Medalla de Oro.
– Año 2007: Celebrado en Grecia. Campeón del Mundo. Medalla de Oro.
– Año 2009: Celebrado en Madrid. Medalla de Bronce.
– Año 2010: Celebrado en Salamanca. Campeón del Mundo –profesional–, Cinturón de Campeón.

Hemos tenido una amena y distendida entrevista en la que han aflorado las virtudes y buen hacer de este extraordinario Campeón que termina dándome su opinión sobre las Artes Marciales en Salamanca, y el momento que vive la práctica de estos deportes.

Salamanca. Campeón del Mundo Profesional, 2010.

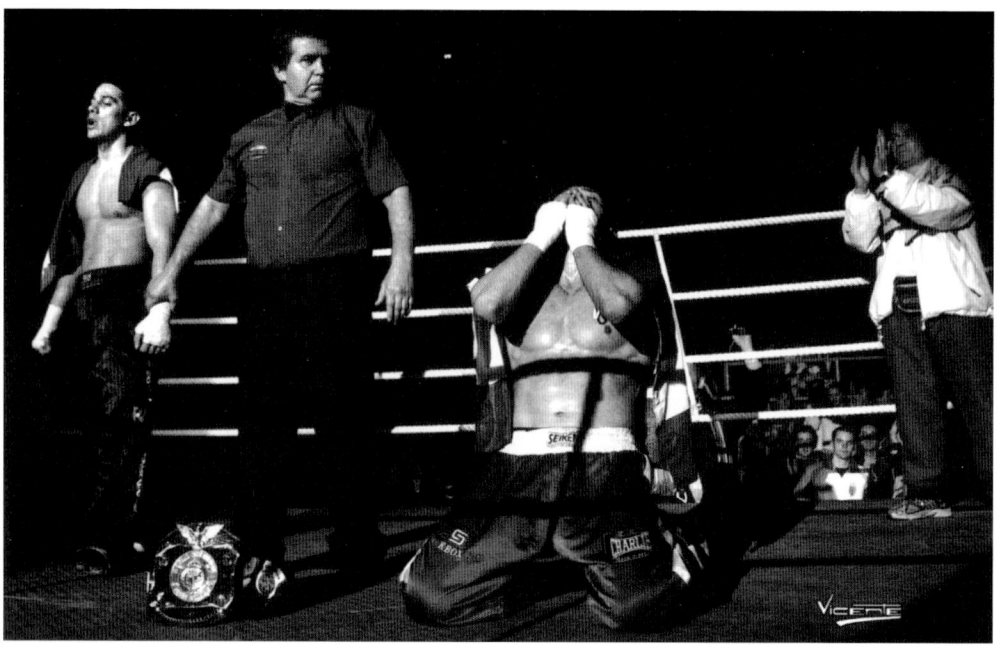

Escuchando el veredicto, Salamanca. Campeón del Mundo Profesional, 2010.

…"Gracias a la labor de Manu (padre) y de todo su equipo, estos deportes estan en plena expansión. Salamanca está en un gran momento, tenemos una muy buena imagen a nivel nacional e internacional"…

Gracias José Ángel, te deseo los mejores éxitos. ¡¡¡ Te los mereces !!!

Olvidaba decirles que sus hijos, de 11 y 7 años también practican este tipo de deportes.

Salamanca.
Campeón del Mundo
Profesional, 2010.

Miguel Ángel López Gil

Este Segoviano, Salmantino de vocación, nacido en el año 1979 y extraordinario competidor de Ring Sport en las Modalidades de Full Contact, Lowkick y K1 tiene un historial deportivo y profesional fascinante y digno de todos los elogios.

No ha sido fácil contactar con él y rogarle que hiciera un hueco en su apretado programa diario de actividades relacionadas con los deportes de contacto en el ámbito profesional. Su Historia es fascinante y a la consideración de los lectores la someto. Para mi es un orgullo y satisfacción enorme el haberle conocido, e incluso regañado, por haber demorado en el tiempo el envío de datos para que quede constancia de sus proezas, dedicación, espíritu de superación y servicio a mi querida España.

Datos profesionales

Miguel Ángel pertenece a las Fuerzas de Seguridad del Estado. Es miembro del Cuerpo Nacional de Policía. Actual instructor de Defensa Personal Policial en la Escuela Nacional de Ávila, y Secretario General de la Federación Española de Kickboxing.

Miguel Ángel López Gil.

Titulaciones académicas y deportivas

- Licenciado en Derecho por la Universidad de Salamanca. Año 2005.
- Curso Especialista Director de Seguridad (Criminología. USAL) 2006.
- Cinturón Negro –5.º Grado– de Kickboxing (FEK). 2016.
- Título Entrenador –3.º Nivel– de Kickboxing (FEK) 2015.
- Cinturón Negro –4.º Grado– de Kickboxing (FEK) 2011.
- Monitor Defensa Personal Policial (FML) 2010.
- Entrenador Nacional de Boxeo (F.E.B.-C.S.D.) 2009.
- Cinturón Negro –3.º DAM– de Kickboxing (F.E.K.-C.S.D.) 2009
- Cinturón Negro –Primer DAM– en Defensa Personal Policial. Fed. Gallega de Lucha, 2009.
- Cinturón Negro –3.º Grado– de Koshiki (C.S.D.) 2008
- Entrenador –segundo nivel– de Kickboxing (F.E.K.-C.S.D.) 2005.
- Cinturón Negro –2.º Grado– de Kickboxing (F.S.K.-C.S.K.) 2005.
- Monitor –Nivel D- de Boxeo (F.E.B.) 2003.
- Instructor –1.º Nivel– de Defensa Personal (F.E.K.-C.S.D.) 2002.
- Cinturón Negro –1.º Grado– de Defensa Personal (F.E.K.-C.S.D.) 2002.
- Cinturón Negro –1.º Grado– de Kickboxing (F.E.K.-C.S.D.) 2002.
- Entrenador –1.º Nivel– de Kickboxing (F.E.K.-C.S.D.).

Campeonato de Castilla y León, 2009.

Campeonato de Castilla y León, 2009.

Experiencia docente

Forma parte del plantel docente como Profesor de la Asignatura de Defensa Personal Policial de la E.N.P de Ávila. Desde 2017.

También es miembro del Equipo que imparte enseñanzas en el Seminario de Defensa Personal para Detectives y Criminólogos en el Título propio de Criminología (C.I.S.E.) en la Universidad de Salamanca. Los cursos académicos 2004-2005, 2005-2006, 2006-2007 y el actual 2007-2008.

Historial deportivo, competiciones y torneos internacionales

Miguel Ángel López Gil tiene la condición de Deportista de Alto Nivel desde el día 2 de abril de 2008, publicado en el Boletín Oficial del Estado, núm. 80 del año 2008.

Entre otros premios, menciones, y galardones le han sido concedidas 14 Medallas Internacionales entre Campeonatos del Mundo, Europa y Torneos Mundiales de Kickboxing de la Federación Internacional reconocida por el Consejo Superior de Deportes:, y tuteladas por la Sección de Deportes de la Policía Nacional:

– Año 2010: Campeón del Mundo. Medalla de Oro en la modalidad de Lowkick en -82 kg en Teslaonikis en Grecia (V.K.P.A).

Campeonato del Mundo. Chipre, 2008.

– Año 2008: Campeón del Mundo. Medalla de Oro en la modalidad de Lowkich en -82 kg. en Chipre (V.K.P.A).
– Año 2004: Campeón. Medalla de Oro en el Campeonato Ibérico (España-Portugal) de Full Contact en -76 kg.
– Año 2006: Campeón de Europa. Medalla de Oro de Full Contact en -82 kg. en Sevilla.
– Siete veces Subcampeón del Mundo. Entre los años 2007 y el 2014. Medallas de Plata en Campeonatos y Torneos Internacionales.
– Dos veces como Tercer Clasificado. Medallas de Bronce en Campeonatos Internacionales.

Medallas Nacionales
– Campeón de España. Medallas de Oro (Amateur) de Full Contact en -82 kg. los años 2002, 2004, 2005, 2006, 2008, 2009 y 2010.
– Campeón de España. Medallas de Oro (Amateur) de Lowkick los años 2008 y 2009.
– Año 2007: Campeón de España. Medalla de Oro en Lowkick (Neoprofesional).
– Campeón de España. Medallas de Oro en Full Contact en -82 kg en los años 2005, 2006 y 2007.

Campeonato de Castilla y León, 2004.

Super Fight. Alamedilla, 2005.

Super Fight. Alamedilla, 2005.

- Subcampeón de España. Medallas de Plata (Amateur) de Full Contact en menos de 82 kg en los años 2003 y 2007.
- Subcampeón de España. Medallas de Plata en Lowkick (Amateur) en los años 2003 y 2007.

Medallas Regionales – Castilla y León

- Seis Medallas de Oro. Campeón Regional de Light Contact, Full Contact y Lowkict en -82 kg en los años 2000, 2001, 2005, 2008 y 2009.

Reconocimientos deportivos

Galardonado con la Beca Relevo al mejor deportista. Por la Junta de Castilla y León durante los años 2006-2007-2008 y 2009.

Nominado al mejor deportista Absoluto en la Gala del Deporte Provincial por la Asociación Abulense de Prensa Deportiva durante los años 2006 y 2007. 2008 y 2009.

Galardonado como uno de los mejores deportistas Absolutos del Deporte Regional por la Federación de Prensa Deportiva de Castilla y León en los años 2008 y 2009.

A los 15 años comenzó a practicar Kickboxing con dos entrenadores franceses que vivían en Ávila. Tuvo que dejarlo por razones de estudios y por la férrea disciplina en el gimnasio, donde proliferaban las lesiones en los entrenamientos.

De manera más sistemática y profesional comienza como discípulo del maestro Manuel García Ramiro en el año 1999. Había comenzado sus estudios de Derecho en Salamanca, fue su discípulo hasta el año 2006, que comienza su andadura profesional en la Policía Nacional. Desde su destino tenía que venir, cuando el servicio se lo permitía, a Salamanca para simultanear los duros entrenamientos y la participación en Campeonatos y Torneos, con el desarrollo de su profesión.

El mismo año 2006 fue destinado a Madrid donde comienza a ejercitarse en Boxeo, que compagina con el Kickboxing, de la mano de sus entrenadores Javier Fraile Morcillo, Jerónimo García y Jose Valenciano, los cuales le aportan otros aspecto en los entrenamientos de Boxeo y Lowkick -K1.

Recuerda con sublime respeto y admiración a uno de los Maestros que más ha influido en su carrera en las especialidades Kombat Arts Program (Kickboxing Autoprotección), el famoso Jesús Equía, actual Presidente de la F.E.K. que a la postre determinaría, en parte, su profesión actual.

Me comenta que: ..."cada día, sigo aprendiendo de cada uno de ellos, asistiendo a los entrenamientos, no con la regularidad que quisiera pero si con el mismo entusiasmo"...

Gracias Miguel Ángel por tu simpatía y por esa ejemplar voluntad de hacer las cosas bien.

Laura Vicente García

Una bella historia de amor: se casa con su entrenador

A veces, sin pretenderlo, la vida, o simplemente el trabajo, te depara sorpresas agradables.

En los deportes de contacto también existen las inter relaciones personales. Su práctica agrupa a una serie de personas afines en sus aficiones y amistad entre los miembros del grupo, que no solamente coinciden en los entrenamientos, también se extrapolan al devenir diario al margen del gimnasio. Llega un momento en que los éxitos y los sinsabores de la competición te involucran y celebras ajenos triunfos y te disgustan los errores que ocasionan derrotas. Momentos en que una palmada en el hombro, un vitor, una lágrima o un abrazo sentido marca un camino compartido para el resto de tu vida.

Esta mañana, estudiando el historial deportivo de Laura Vicente García he descubierto con alegría que es la esposa de otro protagonista de este trabajo, me

Laura Vicente García.

refiero a Miguel Ángel López Gil, otro excelente deportista al que el Kickboxing le ha marcado la pauta en su vida y en su profesión.

Esta pareja de campeones, sin duda, marcan un hito en la historia y difusión de este deporte.

¡Enhorabuena! a ambos, en espera de daros un abrazo.

Laura nació el día 29 de Agosto de 1983.

Se inicia en los entrenamientos de Kickboxing en Noviembre de 2002, sus entrenadores José Ángel Gómez y Miguel Ángel López Gil.

A mediados del año 2006 pasa a pertenecer al Club Élite, comienza a ser tutorada por el maestro Manuel García Ramiro.

Actualmente en la Federación Española de Kickboxing es la encargada de Nuevas Tecnologías, Wed Masters y Directora del Departamento de Fitnes de Combate.

Especialista en CardioKickboxing dirige el Departamento Nacional.

Titulaciones académicas y deportivas

- Ingeniería Técnica en Informática de Sistemas por la Universidad de Salamanca.
- Cuarto Curso de Grado en Física por la Universidad de Salamanca.
- Año 2008: Cinturón Negro (Primer Grado) de Kickboxing F.E.K.-C.S.D.
- Año 2009: Cinturón Negro (Segundo Grado) de Kickboxing F.E.K.-C.S.D.
- Año 2013: Cinturón Negro (Tercer Grado) de Kickboxing. F.E.K.-C.S.D.
- Año 2016: Cinturón Negro (Cuarto Grado) de Kickboxing. F.E.K.-C.S.D.
- Año 2017 Cinturón Negro, especialista en CardioKickboxing (Cuarto Grado) F.E.K.-C.S.D.

Historial deportivo

- Deportista de Alto Nivel de la Comunidad de Castilla y León BOCyL n.º 94 de 20 de mayo de 2013.

Regional

- Siete veces Campeona de Castilla y León. Siete Medallas de Oro.
- Tres veces Subcampeona de Castilla y León. Tres Medallas de Plata.
- Tres veces. Tercera clasificada. Tres Medallas de Bronce.

Nacional

- Cuatro veces Campeona de España. Cuatro Medallas de Oro, en las modalidades de Savate, Semi Contact y Light Contact.

Campeonato de España de Light Contact, 2005.

Campeonato de España de Light Contact, 2008.

- Dos veces Subcampeona de España. Dos Medallas de Plata. Semi Contact.
- Dos veces, tercera Clasificada. Dos Medallas de Bronce. Light Contact.

Internacional

- Campeona, Medalla de Oro en el Open Sun Explosión. Año 2016 en la Modalidad de Kick Light.
- Participación en el Campeonato del Mundo de Savate (Boxeo Francés) en la Modalidad de Assaut.
- Participación (5.º puesto) en el Austrian Classic Worldcup. Año 2014.
- Medalla de Bronce. Campeonato del Mundo de Kick-Boxing en la modalidad de Self Defense.
- Medalla de Bronce. Campeonato de Europa de Kickboxing en Ligt-Contact.

Campeonato del Mundo de Kickboxing, Medalla de Bronce en Self Defense. Thesalonikis (Grecia), 2012.

Reconocimientos deportivos

Galardonada con Beca Relevo a la mejor deportista de Castilla y León. Año 2008.

Galardonada por Méritos Deportivos en los Premios Anuales del Deporte Salmantino en los años 2006, 2007, 2008 y 2009.

Galardonada por Méritos Deportivos en la XLII Gala Provincial de Deporte convocada por la Asociación Abulense de Prensa Deportiva en el año 2015.

Con los mejores deseos de eterna felicidad para el nuevo matrimonio.

Entrenando para la competición.
Campeonato de España
de Light Contact, 2005.

Laura Vicente García
con su esposo y entrenador
Miguel Ángel López Gil.

Manuel García Sánchez
"Super Manu" o "Manu hijo"

Sencillez en la grandeza

El viernes, 24 de octubre de 2014, publicó El Norte de Castilla una crónica en la que resalté su trayectoria y triunfos deportivos en los deportes de contacto, y las características y virtudes que le asisten en el ámbito personal.

Abundaron los adjetivos de joven educado, considerado, tremendamente responsable en el ejercicio de su trabajo, completamente relacionado con los deportes que domina.

Su técnica es elegante, estilosa, muy versátil, con muy buen juego de piernas, cuello y cintura. Efectivo por igual con los puños y con los pies. Excelente en la colocación de golpes a distancia a través de sus sorprendentes piruetas y vuelos. En

Manuel García Sánchez.

la media distancia y el cuerpo a cuerpo es muy valiente y tenaz, limpio y muy técnico.

Su preparación y técnica sustituye a la contundente pegada. Es elegante y noble con sus adversarios, a los que casi siempre ha vencido por puntos.

Demuestra con su constancia en los entrenamientos, vida ordenada y consejos de su Maestro, que se puede llegar muy lejos en el mundo de la competición.

Tiene una sencillez meridiana al hablar sobre sus triunfos. Es un chaval sensato, con la cabeza muy bien amueblada y unos objetivos muy concretos. Considera los galardones obtenidos como la consecuencia de su espartana y permanente formación y el llevar una vida ordenada de Deportista de Élite, que le permiten afrontar nuevos retos con seguridad y optimismo…

Cuatro años después ratifico los calificativos y agradezco el trato, la consideración y respeto que me dispensa.

Manuel García Sánchez, nuestro excelente Campeón, nació en Salamanca en el año 1989, en el seno de una familia donde constantemente se vivía y mascaba el ambiente deportivo.

Manuel García Sánchez a los 4 años de edad con su padre Manuel García Ramiro.

Su Padre el maestro Manuel García Ramiro fue merecidamente el primer salmantino que obtuvo el Campeonato Mundial de Full Contact Profesional.

Desde muy niño, les prometo que he visto fotografías de bebé con los guantes puestos, Manu hijo comenzó a crecer y familiarizarse con el Kickboxing y otros deportes de contacto.

Comenzó su formación académica en el Colegio Francisco Vitoria y en los Institutos Martínez Uribarri y Francisco Salinas de Salamanca.

En Valladolid superó la Licenciatura de Educación Física, y en nuestra universidad terminó con honores el Grado en Fisioterapia.

1.ᵉʳ Campeonato de España de Manuel García a los 11 años en Murcia. Medalla de Bronce en el año 2000.

Campeonato de Castilla y León a los 16 años. Año 2005.

2008 Premios Anuales del Deporte. Recibido por SS.MM. los Reyes de España Don Juan Carlos I y Doña Sofía.

Está considerado como Deportista de Élite y galardonado con el Premio Relevo de la Junta de Castilla y León, y también el de Excelencia Deportiva.

En el año 2008 fue merecedor de los Premios Nacionales de Deporte, con audiencia de S. M. El Rey Juan Carlos I y La Reina Sofía.

En el año 2012 obtuvo la Mención Honorífica al Mejor Deportista Universitario, otorgada por el Consejo Superior de Deportes.

Ha recibido de la Diputación Provincial de Salamanca ocho Premios Anuales del Deporte Salmantino.

Está nombrado Miembro del Comité Nacional de Formación de la Federación Española de Kickboxing.

Nombramiento de Miembro del Equipo Técnico de la Selección Española de Cadetes y Junior para el Mundial.

Es Director del Centro de Tecnificación de la Federación de Kickboxing de Castilla y León.

Desde el año 2012 es Profesor de la Escuela de Kickboxing Élite de Salamanca, donde imparte enseñanzas a alumnos y alumnas en edades comprendidas entre los 5 y los 56 años.

Logros deportivos

Desde el año 2003 al 2016 ha ganado 32 Campeonatos de España. 32 Medallas de Oro.

Desde el año 2006 al 2009 ha ganado 6 Campeonatos de Europa. 6 Medallas de Oro.

Entre los años 2014 y el 2017 ha sido declarado 17 veces Campeón del Mundo. 17 Medallas de Oro.

Los títulos Nacionales, Europeos y Mundiales han sido obtenidos en Kickboxing, en las Modalidades de Semi Contact, Light Contact y Koshiki.

Torneos en Copas del Mundo

Año 2014: Irish Open. Dos Medallas se Plata en Light Contact, en -57 kg en Dublin (Irlanda).

Año 2015: Irish Open. Medalla de Bronce en Full Contact, en -60 kg en Dublin (Irlanda).

Año 2015: Austrian Classic. Medalla de Bronce en Fullcontac -60 kg en Austria.

Campeón del Mundo Neoprofesional. Semi Contact / Point Fight. Salamanca, 2014.

Campeón del Mundo. Medalla de Oro en Semi Contact / Point Fight. Grecia, 2012.

Campeón del Mundo. Full Contact. Gala Super Fight, 2014.

Copa del Mundo. Campeón en Full Contact. Año 2016.

Año 2016: Autrian Classic. Campeón. Medalla de Oro en Full Contact en -60 kg en Austria.

Año 2017: Irish Open. Campeón. Medalla fe Oro en Full Contact en -60 kg en Dublin (Irlanda).

El año 2013 fue su mejor período deportivo.

Obtuvo cinco Campeonatos de España. Cinco Medallas de Oro, en las distintas modalidades de:

- Campeón de España de Boxeo amateur en Murcia.
- Campeón de España de Savat (Boxeo Francés).
- Campeón de España de Full Contact.
- Campeón de España de Semi Contact (Point-fighting).
- Campeón de España de Light Contact.

Copa del Mundo. Campeón en Full Contact. Año 2016.

Campeonato de Europa de Full Contact contra Eslovenia. Año 2016.

Gracias Manu por llevar con dignidad el nombre de nuestra querida Salamanca por esos caminos de Dios.

Noticia de última hora: El día 28 de Junio de 2017 se ha proclamado nuevamente Campeón de España. Medalla de Oro en la Modalidad de Low-Kick en Oviedo.

Campeón de España. Irish Open Full Contact. Año 2017.

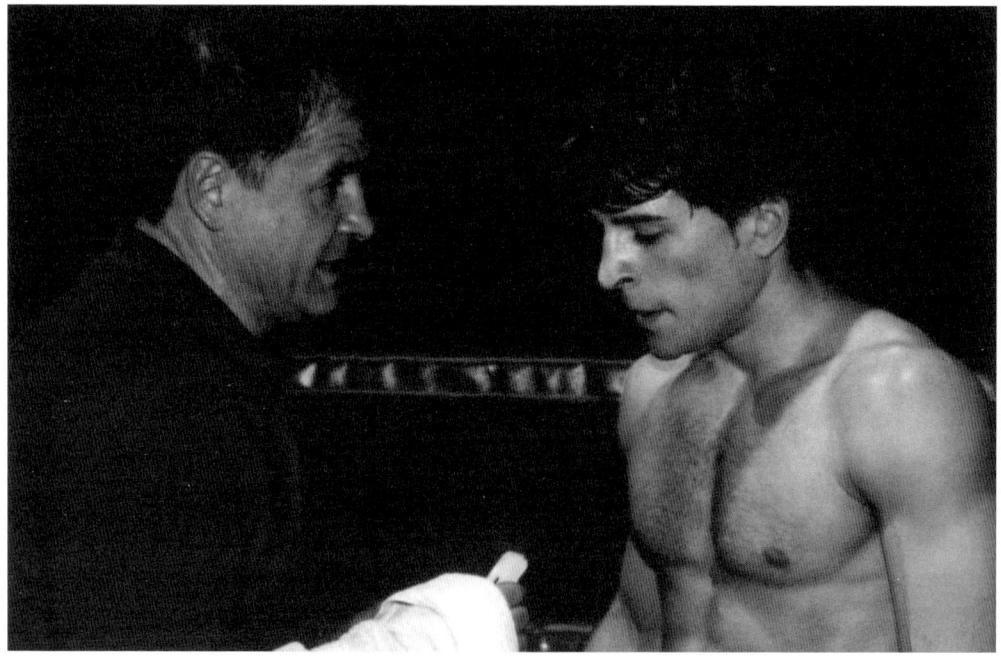

"De tal palo, tal astilla". Escuchando el último consejo de su padre y maestro.

Pueden obtener una información más detallada en: http://www.escuelakickboxingelite.org

Richard Huerta "El Toro"

Nuestro versátil peleador-estratega, nació en Salamanca el día 20 de mayo de 1992.

Comenzó sus estudios en el Colegio Francisco de Vitoria y los Secundarios en el Colegio San Juan Bosco. El Bachiller lo cursó en los Salesianos.

Cursa el Grado de Ciencias de la Educación Física en la Universidad Europea Miguel de Cervantes de Valladolid.

Desde los ocho años compaginó los estudios con los entrenamientos que impartían en las Escuelas de Promoción Deportiva del Ayuntamiento que ubicaron en el Colegio Francisco de Vitoria.

Richard Huerta "El Toro".

A los 12 años pasa al Gimnasio Élite como pupilo de Manuel García Ramiro (Manu padre), donde continúa. Con esta edad comienza a competir y se proclama Campeón de España en 2004 en la Modalidad de Semi Contact. Título y modalidad que revalida el año 2015 en Madrid.

En los años 2006, 2007, 2008 y 2009 vuelve a quedar Campeón de España en las modalidades de Semi Contact y Light Contact.

También en 2006 queda en Sevilla Campeón de Europa en las modalidades de Semi Contact y Light Contact, a los 14 y 16 años de edad.

Con este historial deportivo y su corta edad (desde los 12 a los 17 años de edad) es seleccionado para el Campeonato Mundial, en las dos modalidades, en Madrid en la categoría Junior.

Sus increíbles aptitudes, su extraordinaria condición física y los consejos de sus preparadores le proyectan a tomarse, más aún, en serio el mundo de la competición. Cada combate lo celebra con luchadores más avezados y con gran pluralidad de técnicas, lo que le hace convertirse en un versátil luchador con unos increíbles recursos, gran pegada, valentía y empuje que le van convirtiendo en un luchador imprescindible en las veladas y eventos deportivos. Richard Huerta tiene una casta especial y un sitio propio en el ring.

1.ᵉʳ Campeonato de España a los 12 años. Madrid, 2004.

Campeonato del Mundo de Light Contact. Atenas, 2013.

Pasa a competir como junior en Semi Contact quedando campeones por equipos. Nuestro paisano ganó el combate decisivo y se convierten en Campeones del Mundo por Equipos en la categoría de absolutos. Terminaba de cumplir 17 años.

En el año 2010 pasa a la categoría junior, quedando Campeón de España de Light Contact y de Koshiki, celebrando los combates en Madrid y Galicia.

Repite la hazaña en 2011 y vuelve a quedar Campeón de España en Semi Contact, Light Contact y Koshiko en la categoría de neo-profesional.

En 2011 consigue el título de Campeón del Mundo de Semi Contact en Ucrania. Este combate, y los preliminares, le convierten en un gran campeón y le dan fama mundial, nuestro paisano se convierte en un luchador imprescindible en exhibiciones.

En su carrera deportiva en el mundo de la competición, el año 2012 es su año cumbre:

Revalida su título de Campeón de España en tres modalidades, Full Contact, Light Contact y Koshiki.

Campeonato del Mundo Profesional de Light Contact. Fuenteguinaldo, 2012.

Campeón del Mundo de Light Contact, Semi Contact, y Full Contact por Equipos.

Es considerado el número uno en el Ranking Mundial y favorito para disputar el Campeonato Mundial (World Profi) el día 25 de Agosto del 2012 en la localidad de Fuenteguinaldo (Salamanca). El Ayuntamiento ganó la subasta y en este bonito pueblo se vio un espectáculo increíble al que asistieron espectadores y personajes mundiales.

El oponente Alex Kennedy, de 33 años de edad, con un palmarés inigualable.

Nuestro paisano venció a los puntos. Tenía 20 años de edad, y el triunfo fue dedicado a sus abuelos que nacieron en esta localidad.

Richard Huerta (El Toro) hizo alarde de una

Campeonato del Mundo Profesional. Fuenteguinaldo, 2012.

Campeonato del Mundo Profesional en Fuenteguinaldo con su Club de Fans.

extraordinaria preparación, coraje, casta y valentía que le valió para proclamarse Campeón del Mundo.

Comienza su vida de estudiante universitario que simultanea con los entrenamientos en el Gimnasio Élite de Salamanca y la Academia Combat de Valladolid, ciudad en la que cursa sus estudios.

Entrena con Alfonso Durán, otro gran preparador, conoce y se ejercita en nuevas modalidades: K1, Low-Kick y Muay-Thay.

En 2013 vuelva a quedar Campeón de España de Semi Contact, Laightcontact y de K1 (prueba muy dura). También en 2013 queda Campeón de España de Low-kick en la categoría de neo-profesional, que se celebró en Salamanca. Venció a su oponente por K.O.

Campeonato del Mundo Profesional. Fuenteguinaldo, 2012.

*Campeonato del Mundo
Profesional.
Fuenteguinaldo, 2012.*

*Campeonato del Mundo
Profesional.
Fuenteguinaldo, 2012.*

Posando con el Cinturon Profesional de Light Contact. Fuenteguinaldo, 2012.

El mismo año 2013 se proclama Campeón del Mundo de Semi-Contac y Light Contact. También consigue el Título de Sub-campeón mundial de K1 en Atenas (Grecia).

En el año 2014 había conseguido su objetivo: Richard Huerta (El Toro) ha sido y es el primer español que ha vencido en todas las modalidades como Campeón de España de Full Contact.

He presenciado varios de sus combates en las distintas técnicas y nunca se ha regido por el mismo patrón, es un super-campeón que se adapta a la técnica de lucha del contrario y le sorprende. Valiente, combativo, cerebral, muy técnico, duro pegador, buen encajador y muy versátil.

También en 2014 compite en torneos mundiales, donde sigue cosechando triunfos y galardones, en España y en el extranjero.

En 2015 queda Campeón del Torneo Master Dragon de Kick-Boxing y K1.

En 2016 obtiene varias medallas en torneos y Copas Mundiales Internacionales y el título de Campeón de España.

Desde el año 2014, con sus estudios terminados y su gran experiencia en el combate, comienza a impartir enseñanzas en su gimnasio Estudio y Entrenamiento Personal, situado en la Avda. de Portugal, 24. Su éxito se basa fundamentalmente en las enseñanzas individualizadas y concretas.

Está en posesión del Título de Entrenador Personal expedido por la Asociación Americana NSCA, con reconocimiento mundial.

Tenemos una amena y distendida charla, sin prisas, en la que tomo buena nota del objetivo e ideario del gimnasio:

…"A cada alumno hay que darle lo que necesita y busca"…

…"No es un gimnasio de colectivos. Las enseñanzas son individualizadas"…

…"Previamente hago un estudio del alumno, de sus necesidades, de sus aptitudes"…

Le he agradecido mucho el tono y la consideración de la entrevista y quedo admirado de su sencillez. Richard Huerta se ha convertido en un personaje digno de todos los elogios y reconocido a nivel mundial.

¡¡¡ Gracias Charro !!!

Carlos Manuel Carrasco Montero

Nacido en 1984 en Bañolas (Cataluña), hijo de Castellano-Leoneses y Salmantino de derecho desde que tenía un año de edad.

Se educó en el Colegio Villar y Macías y el I.E.S. Fray Luis de León, terminó la Educación Secundaria Obligatoria y se incorpora al mundo del trabajo como ferrallista, apenas cumplidos los 16 años.

Desde muy niño fue iniciado en los deportes de contacto (Artes Marciales) por su padre, gran aficionado, que le enseña y le ejercita en Boxeo, Kung-Fu y Karate.

Campeón de Castilla y León, 2016.

A los 8 años ya visitaba el gimnasio de Jesús Álvarez, en la Avenida de Portugal, donde estuvo hasta los 14 años, que simultaneó con Manuel Yubero en las disciplinas de Karate y Kung-Fu hasta que comenzó a trabajar.

Al cumplir la mayoría de edad comienza a tomarse en serio los entrenamientos teniendo a Macario como profesor. Solamente dos meses después, en el año 2004 se proclama Campeón de España, Medalla de Oro en la modalidad de -80 kg. en Madrid (Villaviciosa de Odón). Es el primer triunfo que precede a un extraordinario historial en el ámbito deportivo.

Los aficionados nos dimos cuenta de inmediato que Carlos Carrasco nos daría muchas alegrías y satisfacciones. Combate a combate nos iba convenciendo de su gran preparación física, valentía y un desbordado coraje, que junto a su creciente técnica era un azote para sus contrarios.

Conquistó el Título de Campeón de Castilla y León veinte veces. 20 Medallas de Oro.

En distintas Especialidades.

En este momento, y digo en este momento, porque sigue en el mundo de la competición, tiene en su haber un total de 17 Campeonatos de España. 17 Medallas de Oro, en las Especialidades de Light Contact, Full Contact, Savate, Koshiki y Lowkick, entre los años 2004 y 2017.

Campeón de España Neoprofesional contra Carlos Carrasco en la Alamedilla, 2008.

En el año 2016 participa en el Campeonato de Europa (WAKO) celebrado en Atenas (Grecia), quedando Subcampeón. Medalla de Plata.

Campeonatos del Mundo

– Año 2008: Campeón del Mundo. Medalla de Oro, celebrado en Chipre. Medalla de Oro, en la modalidad de Koshiki.
– Año 2008: Subcampeón del Mundo. Medalla de Plata, también en Chipre, en la especialidad de Ligh Contact. Contra Michel Page (descalificaron a Carlos Carrasco 10 segundos antes de finalizar el combate, por lo que el árbitro consideró un fuerte contacto.
– Año 2010: Campeón del Mundo. Medalla de Oro, en Atenas (Grecia) en Full Contact en -80 kg.

Campeonato de Europa. Medalla de Plata, 2016. Contra el ruso.

Campeonato del Mundo. Medalla de Oro, 2015. Contra el turco Serkahan.

- Año 2011: Campeón del Mundo. Medalla de Oro, en Full Contact en el combate celebrado en Ucrania contra el Super Campeón de Rusia, de nombre Kevin en -80 kg.
- Año 2012: Campeón del Mundo. Medalla de Oro, en Salónica (Grecia) en Full Contact, en combate contra el Campeón de Bosnia.
- Año 2012: Campeón del Mundo. Medalla de Oro, en Alexandrópolis (Grecia), contra el ucraniano Igor Kudriski, en la modalidad de Full Contact.
- En el año 2014 obtuvo Medalla de Bronce en el comate celebrado contra el mismo luchador, en la modalidad de Full Contact.
- En el 2014 se proclama ganador del Master Dragón de Kickboxing en el Pabellón de Deportes de La Alamedilla, contra el polaco Pablo Dobrosky.

Este trofeo es considerado como muy importante a nivel mundial.

Continúa sus entrenamientos bajo la supervisión de Manuel García Ramiro (Manu padre) en el Gimnasio Élite, que compagina con su cotidiano trabajo en el sector de la albañilería y la fabricación.

También ejerce como Profesor de Kickboxing en el Gimnasio Sparta de Carbajosa de la Sagrada. Sus alumnos ya comienzan a dar frutos en el mundo de la competición.

Carlos Carrasco Montero es una persona muy afable y considerada, que lleva en silencio y discreción sus importantes logros en el mundo de la competición y tiene a flor de piel las enseñanzas que ha recibido de su Maestro en el Arte de la Lucha.

Campeonato Mundial. Medalla de Oro frente al veroniano Igor. Veronia, 2014.

Un extraordinario luchador muy digno de tener en cuenta por llevar el nombre de Salamanca con dignidad por lejanos países.

Noticia de última hora: El día 28 de Junio se ha proclamado nuevamente Campeón de España. Medalla de Oro en la Modalidad de Low-Kick en Oviedo.

Campeón del Mundo contra el argelino Hassan Abdelazís, 2008.

Campeón del Torneo MDK, en Salamanca contra el polaco Pablo Dobloski.

Combate ganado contra el gallego Juan Carlos Mera (Campeón de Europa de Savate). Vencedor por decisión unánime a los puntos.

Rubén Sendín Oñiga

Este charro de nacimiento y vocación nació en 1990. Tiene detrás una bonita historia deportiva en la que continúa latente la influencia familiar. Su padre, César Sendín, fue un excelente boxeador que, creo recordar, hizo un total de 25 combates que le sirvieron para ganarse la simpatía y respeto de toda una legión de aficionados que éramos asiduos espectadores. Tenía un boxeo limpio, con una pegada contundente, buen fajador y terrible en la media distancia. Noble en el ring y excelente persona en su vida cotidiana.

Fue también promotor de veladas en doce ocasiones y nos proporcionó espectáculos memorables al ofrecernos la posibilidad de ver pelear personalmente a grandes figuras del arte de las 12 cuerdas (ahora 16) en el Pabellón de

Rubén Sendín Oñiga.

la Alamedilla. Pudimos aplaudir y vitorear a Evangelista, extraordinario peso pesado, y a Roberto Castañón que fue Campeón de España y de Europa muchas veces. Sirva esta mención y recuerdo a sus méritos y aportación al Noble Arte del Boxeo.

Rubén Sendín Oñiga cursó estudios en los Colegios Sagrado Corazón, La Asunción y terminó el Bachillerato en el IES. Francisco Salinas. En la actualidad, y desde el año 2011 es miembro de las Fuerzas de Seguridad del Estado.

Excelente luchador acreditado y considerado como Deportista de Élite.

Su primer contacto con el deporte se remonta a la edad de 4 años en la práctica de Kung Fu como actividad extraescolar en el Colegio La Asunción.

A los seis años cambia de colegio, junto con su familia se fueron a vivir a Carbajosa y comienza sus entrenamientos de Karate teniendo como profesores a Javier y Manolo.

A los 13 años obtiene su primer cinturón negro de Karate.

Al cumplir los 15 años, y hasta el momento actual, es alumno de la Escuela de Kickboxing Élite, que simultanea con Karate hasta obtener el Primer DAM.

También Rubén hizo sus pinitos como boxeador amateur, obteniendo varias victorias. En el rincón del ring con su preparador El Gran Balta.

Su padre César Sendín. Peso Pluma disputó 25 combates.

En el 2007, con 16 años comienza a competir y se proclama Campeón de Castilla y León.

Siendo galardonado con ocho Medallas de Oro en las modalidades de Semi Contact, Light Contact, Kick Light, Koshiki y Full Contact.

Campeonatos de España

- Año 2007: Campeón de España. Medalla de Oro en Semi Contact.
- Año 2007: Campeón de España. Medalla de Oro en Light Contact, ambos Campeonatos celebrados en Madrid, en -65 kg.
- Año 2008: Campeón de España. Medalla de Oro en Koshiki, en Madrid, en 65 kg.
- Año 2009: Campeón de España. Medalla de Oro en Koshiki, en Madrid, en 65 kg.
- Año 2009: Campeón de España (neoprofesional). Medalla de Oro en Koshiki, en Madrid, en 65 kg.
- Año 2010: Campeón de España. Medalla de Oro en Koshiki, en Madrid, en 65 kg.
- Año 2011: Campeón de España. Medalla de Oro en Koshiki, en Madrid, en -65 kg.
- Año 2014: Campeón de España. Medalla de Oro en Full Contact en Madrid, en -65 kg.
- Año 2014: Campeón de España. Medalla de Oro (neoprofesional) en Full Contact en Madrid, en -65 kg.
- Año 2016: Campeón de España. Medalla de Oro en Full Contact, en Salamanca, en 63.500 kg.

César Sendín con su preparador el gran Balta.

Campeonate de España, Medalla de Oro, 2014.

– Año 2016: Campeón de España. Medalla de Oro en Kick Light, en Sevilla, en -63 kg.

Campeonato de España de Full Contact. Medalla de Oro, 2016.

Campeonato de España de Kick Light. Medalla de Oro, 2016.

Campeonato Mundial WAKO de Kick Light. Medalla de Bronce. Serbia,2015.

Irish Open de Full Contact. Medalla de Bronce, 2017.

Campeonatos Mundiales

- Año 2009: Medalla de Bronce, en Koshiki. Celebrado en Madrid, en -65 kg.
- Año 2015: Medalla de Bronce, en Kick Light, en Serbia, en 69 kg.

Torneos Internacionales Open

- Año 2014: Medalla de Bronce, en Kick Light en Lignano (Italia) en -69 kg. Bestfigater.
- Año 2016: Medalla de Bronce, en Full Contact. Iris Open, en Dublin.
- Año 2016: Medalla de Bronce, en Kick Linght. Autrian Classic, en Austria.
- Año 2017: Medalla de Bronce, en Full Contact. Iris Open, en Dublin.

Continúa su intensiva preparación en el tiempo libre que le permite el desarrollo normal de su profesión.

Gracias Rubén por tu simpatía y nobleza.

Noticia de última hora: Se ha proclamado nuevamente Campeón de España. Medalla de Oro, en la modalidad de Low-Kick en la Ciudad de Oviedo.

Open Ciudad de Salamanca de Kick Light. Medalla de Oro, 2015.

Antonio José García Iglesias

Desde mi infancia he escuchado con reiteración, y he tenido ocasión de leer en las letrillas populares del Folklore Salmantino, que los naturales de la localidad de Barbadillo, bonito pueblo ubicado en la zona de transición existente entre las comarcas de la Armuña Chica y la Charrería (Campo Charro), tienen como denominador común ser personas formales, recias y nobles.

A pesar de estar censado en el Pueblo de Galindo y Perahuy, que apenas dista un kilómetro de Barbadillo, y con previo aviso, me desplacé dos veces tratando de tener una amena charla con Antonio José García Iglesias, para que me contará su vida deportiva que, por cierto, está cuajada de logros, triunfos y emociones.

Antonio José García Iglesias.

Por fin conseguí "pillarlo" y concertar una entrevista, en La Rad-Uno, una apacible y soleada tarde del mes de Abril. Tras dos horas de espera, mi buen amigo Antonio se presentó con cierta prisa, no quería perderse el entrenamiento cotidiano, para lo que tenía que desplazarse a Santa Marta de Tormes donde se ubica el Gimnasio Arenas.

Este mocetón que ya ha cumplido los treinta y cinco años y que esta sobrado de coraje, técnica, empuje, nobleza, limpieza,… que consigue en cada combate poner de pie a los espectadores y aficionados, tiene una poderosa pegada que temen sus adversarios.

Campeonato de Castilla y León. Medalla de Oro, 2013 contra David Sadia.

Su sencillez y nobleza le llevan a tener una excelente relación con otros gimnasios y luchadores, y con un público entregado al que emociona y nos hace vibrar.

Nació en el año 1981. Comenzó sus estudios en el Colegio Lazarillo de Tormes donde estuvo hasta los 15 años. Al cumplir esta edad se marcha a Madrid, con un vecino del pueblo para integrarse en el mundo del trabajo como ferrallista, donde aprende y desarrolla esta especialidad durante tres años.

Vuelve con 18 años cumplidos y comienza sus entrenamientos de Boxeo en el Gimnasio Nirvana teniendo como preparador al Gran Coque. Solamente

realizó dos combates como boxeador amateur, que gano a sus opo-
nentes –a los puntos–, en Valladolid. En el año 2000.

Cambia de modalidad en el año
2001 y comienza a entrenarse en
el deporte de Kickboxing, en la
modalidad de Full Contact, en el
Gimnasio Squash-8, situado en la
Avenida de los Cipreses.

Año 2003 debuta como luchador en el Pabellón de Deportes de
la Alamedilla y queda Campeón
de Castilla y León. Medalla de
Oro, contra un avezado oponente
llamado David Sadia, que en ese
momento ostentaba el título de
Campeón de España, en -86 kg.

Campeonato de Castilla y León, 2012.

Campeón de Castilla y León. Medalla de Oro. Madrid, 2014.

Se cierra el gimnasio y continúa sus entrenamientos en el Gimnasio Cid, sito en la calle que lleva este nombre. Su profesor, del que guarde un gran recuerdo, fue Ángel Sánchez Blanco quién le entrenó durante 3 años.

Se traslada al Gimnasio Arenas de Santa Marta de Tormes en el año 2005 donde continúa en la actualidad bajo la disciplina de Oscar Martín Cabero, al que considera amigo y hermano mayor (curiosamente esta definición es muy frecuente en todas las entrevistas), que por cierto es otro excelente campeón.

Campeón de España. Medalla de Oro, 2013.

Desde el año 2006 hasta el 2012, por razones de trabajo, se ausenta a Valladolid dejando los entrenamientos y la competición. Regresa a Salamanca y reinicia los entrenamientos. A los 6 meses, con veinticinco kilos menos, comienza a competir con 25 años de edad, obteniendo excelentes resultados:

Desde el año 2006 hasta el 2017 se proclama Seis veces Campeón de Castilla y León. Seis Medallas de Oro, combates celebrados en Salamanca en la categoría de -86 kg.

También en el año 2016 queda Subcampeón de España. Medalla de Plata, en -86 kg.

Campeón de la Gala Francia-España. Burdeos, 2014.

Momento del combate de la Gala Francia-España. Burdeos, 2014.

Momento del combate del Campeonato de Europa celebrado en Grecia.

- Año 2012: Campeón de España. Medalla de Oro en -91 kg. Celebrado en Madrid.
- Año 2013: Campeón de España. Medalla de Oro en -91 kg. Celebrado en Madrid.
- Año 2014: Campeón de España. Medalla de Oro en -91 kg. Celebrado en Madrid.
- Año 2016: Campeón de España. Medalla de Oro en -86 kg. Celebrado en Salamanca.
- Año 2014: Ganador del Trofeo de la Gala celebrada en Burdeos (Francia) como Neoprofesional.
- Año 2016: Pertenece a la Selección Nacional para participar en el Campeonato de Europa que se celebra en Grecia. Realiza un combate épico y muy aplaudido, que le da fama y prestigio, que no puede terminar, al suspenderlo el arbitro por lesión.

A lo largo de su historia deportiva Antonio José García Iglesias ha realizado un total de 35 combates.

Si tienen ocasión, les recomiendo presenciar alguno de sus futuros combates, seguro que participaran con regocijo de sus triunfos.

Noticia de última hora: El día 28 de Junio ha conseguido el Campeonato de España en la Modalidad de Low-Kick. Medalla de Oro, en Oviedo.

Campeonato de Europa celebrado en Grecia, golpe de nuestro Campeón.

Últimos eventos y logros del Kickboxing salmantino 2017 - Campeonato de España en Tatami

Durante los días 20 y 21 del pasado mes de Mayo de 2017 se celebró en Benidorm el Campeonato de España de Kickboxing en Tatami Export. Al evento concurrieron tres Gimnasios Salmantinos, con sendas selecciones, cuyos participantes están en los grupos de edad comprendidos entre los 8 y los 15 años de edad.

Una vez mas nuestros aprendices de luchadores obtuvieron unos extraordinarios resultados que les servirán, sin duda, de estímulo y ganas de continuar iniciándose en el mundo de la competición.

Equipo Selección de Kickboxing Élite.

Dos nuevos Campeones de España: José Moreno Mari y Alberto Santos Hernando del Club Élite.

Equipo Selección del Club Kickboxing Jose Angel Gómez Gym.

Selección del Club Santa Marta con su Campeón de España.

Eduardo Cortés Martín, también Medalla de Plata.

El resultado final global superó los grandes triunfos conseguidos el pasado año 2016 en el Campeonato de España celebrado en el Pabellón de La Alamedilla en Salamanca.

Nuestros Charros aprendices de Campeones obtuvieron trece Medallas de Oro (13 nuevos Campeones de España). Veinte Medallas de Plata (20 nuevos Subcampeones de España) y ventitrés Medallas de Bronce.

Pormenorizando los logros tenemos los siguientes resultados:

Modalidades Point Fight, Light Contact y Kick Light.

Club de Kickboxing Élite: 12 Medallas de Oro, 5 de Plata y 7 Bronces.

Club José Ángel Gómez: 9 Medallas de Plata y 8 Bronces.

Club Santa Marta (Villares de la Reina) 1 Medalla de Oro, 6 de Plata y 8 Bronces.

Otro gran logo del Kickboxing salmantino que sirve para conocer que en nuestra ciudad estan en auge los deportes de contacto, y que el acreditado profesorado imparte enseñanzas de alto nivel.

Federación de Kickboxing de Castilla y León

Presidente: D. Juan Francisco Fraile Sánchez

Nació en el Barrio de Pizarrales en Noviembre de 1953, salmantino por los cuatro costados.

Comienza su andadura en las Escuelas Viejas de Pizarrales. Los primeros años de Bachillerato los cursa en la Fundación Rodríguez Fabrés, desde donde pasa a la Escuela de Maestría Industrial y termina los estudios de electrónica con la titulación de Maestro de Taller.

Juan Francisco Fraile Sánchez.
Presidente de la Federación de Kickboxing de Castilla y León.

El servicio militar lo cumple en Matacán, en el ITE, como Especialista. Se licenció y se queda en los talleres de mantenimiento de la base aérea como Personal Laboral al Servicio de la Administración Militar. Trabajo que desempeña durante 34 años.

Se inicia en los deportes de contacto cuando el Maestro Zarza inaugura su gimnasio con este nombre. Su primer profesor es Carlos Triguero, excelente karateka.

Enamorado de las Artes Marciales continúa sus entrenamientos durante años, nunca compitió ni subió a un ring,ni participó en ningún campeonato.

Por razones familiares y laborales está durante años alejado del gimnasio y del deporte.

A los 45 años de edad se reencuentra con el Maestro Manuel García Ramiro, eran amigos desde la infancia. Juntos

comienzan un ambicioso proyecto de "Kickboxing a tope" tratando denodadamente de promocionar este deporte, y sus especialidades.

Juan Francisco Fraile logra el Cinturón Negro –Primer Dan– en Karate. Entrenador de Categoría Nacional y Arbitro.

Es tal su dedicación y entrega que le proponen formar parte de la Presidencia, Se presentó a las Elecciones de Presidente y fue elegido como tal de la Federación de Kickboxing de Castilla y León en el año 2004, por períodos de cuatro años. Lleva desempeñando este cargo mas de 13 años, ratificado por las elecciones.

Presidente Juan Francisco Fraile Sánchez en su despacho.

Juan Francisco Fraile Sánchez imponiendo medallas en el Campeonato de España, 2016 en la Alamedilla.

Equipo de Castilla y León que concurrieron en el Campeonato de España.

Juan Francisco Fraile Sánchez, Presidente (en la izquierda), Manuel García Ramiro (en el centro) y Juan Manuel Macías Velasco, Director Regional de Arbitraje (a la derecha).

Recientemente, en el año 2016 ha vuelto a ser nombrado Presidente hasta 2020.

Durante todo este tiempo ha representado a la Federación en todos sus eventos, asesorado por su entrañable amigo del alma Manuel García Ramiro, como asesor técnico, con el que tiene una excelente relación.

La sede social de la Federación está ubicada en el mismo edificio de la Escuela Élite, en la Calle Lazarillo de Tormes.

Entre sus numerosas obligaciones está la convocatoria y celebración de los Campeonatos Regionales en todas las Especialidades, de las cuales salen los campeones de nuestra Comunidad que concurren representándonos a los Campeonatos de España. Los campeones nacionales concurren a los Campeonatos de Europa y Mundiales.

En nuestra ciudad de Salamanca se han celebrado siempre los Campeonatos Regionales de las distintas espacialidades. Varios Campeonatos de España y del Mundo. Amén de constantes competiciones interclub de nuestra Comunidad.

Juan Francisco pone un especial énfasis y satisfacción al informarme que el Kickboxing y sus especialidades son deportes en alza en nuestra Comunidad, así lo acreditan los mas de 40 clubs y cerca de 900 licencias federativas.

En Salamanca contamos con siete clubs y casi 400 alumnos. Cuyas edades oscilan entre los 5-6 años (niños y niñas), y los 45 años (seniors). Según el siguiente detalle de competiciones y modalidades en función de la edad.

Terminamos la entrevista con una magistral y sabia frase:

…"Las Artes Marciales se practican con valores y respeto"…

*Juan Francisco
Fraile Sánchez
y José Manuel
Alonso Serrano.*

Juan Manuel Macías Velasco

Excelente deportista, Arbitro Internacional y Director Nacional de Deportes
(Kichboxing y sus especialidades en Tatami).

Coincidimos en un establecimiento céntrico especializado en la venta de bolsos de viaje y maletas. Necesitaba una nueva para desplazarse a Dublín (Irlanda) acompañando a nuestros campeones y para arbitrar encuentros internacionales.

Nos habían presentado en el Pabellón de Deportes de la Alamedilla en el último Campeonato de España y estábamos pendientes de concertar una entrevista.

Directamente buscamos un lugar tranquilo para que me contara su larga experiencia como boxeador, luchador, arbitro Nacional e Internacional y Director Nacional de Deportes en Tatami.

Juan Manuel es un salmantino de pro que nació en el año 1964 en el cercano pueblo de Villamayor, muy simpático y asequible y con un excelente historial en

Juan Manuel Macías Velasco.

el ámbito deportivo. Toda una autoridad en las Artes Marciales y buen conocedor de los proyectos y del presente momento de estas actividades.

En 1975, a los 11 años de edad, comienza animado por su amigo Manuel García Ramiro en una casa de la Avda. de Italia donde los informales entrenamientos despertaron su afición en estas Artes.

En 1978 pasaron al Gimnasio Yoko Gake que regía, y rige, el Maestro Mimoun Boulahfa, por entonces en un local de la Calle Cuarta.

En el verano de 1979 comienza sus entrenamientos de boxeo en el gimnasio "Aquilino Guarido" bajo la disciplina del gran Pedro Coque, excelente boxeador y preparador, todavía en activo. Del que guarda un gran respeto y buenos recuerdos. Me comenta que le enseñó que "el Boxeo es el arte de pegar y que no te peguen".

Entre 1980 y 1986 realiza 22 combates como boxeador amateur y es seleccionado para participar en dos Campeonatos de España. Peleó contra boxeadores que conquistaron varios títulos de Campeones Nacionales, y con amigos del alma con los que continúa una amistad-hermandad.

Compaginaba la práctica del Boxeo con Karate, su preparador fue Carlos Garrachán, que adquirió fama mundial como experto y Maestro.

Durante estos años compitió en Karate y se clasificó como Subcampeón de Castilla y León en el año 1985.

Juan M. Macías. Mach nulo contra un púgil leonés Medalla de Bronce en el Campeonato de España.

Compañero inseparable del hoy maestro Manuel García Ramiro (Manu padre), viajaban juntos a Valladolid para aprender nuevas técnicas y especialidades del Maestro Garrachán. En estos años había campeones de España y del Mundo en la vecina ciudad.

En 1986 se aleja del deporte de competición, no de los entrenamientos, y comienza a ejercer su profesión como Funcionario del Estado. No pierde nunca su estrecha relación con los deportes de contacto y las Artes Marciales.

En 1990 se acredita como Arbitro Regional de la Federación de Boxeo. Siendo en 2011 cuando comienza a arbitrar el Kickboxing en el ámbito nacional.

Juan Manuel Macías. Mach nulo contra Manuel García Ramiro, 1985.

En 2014 es nombrado Director Nacional de Savate (Boxeo Francés).

En 2016 obtiene el nombramiento de Director Nacional de Deportes de Kickboxing y sus Especialidades en Tatami.

Como Arbitro-Juez participa en mas de quinientos combates Regionales, Nacionales e Internacionales, y arbitra cuatro Campeonatos del Mundo.

Me cuenta dos anécdotas hartamente curiosas: …"En el Campeonato de España de Kickboxing (Nick Light) se declara vencedor a un luchador por el

Juan Manuel Macías contra "El pescadilla" en Huerta del Rey, Valladolid.

Torneo por equipos en Ávila, se clasificaron Campeones, 1986.

Juan Manuel Macías. Técnica de Karate, 1987.

Presidente de la Mesa. Media hora más tarde uno de los jueces revisa el Acta y ve la garrafal equivocación. El Presidente avisa a los luchadores, que ya habían abandonado el recinto, y se encontraban en el hotel, y arregla amistosamente el error…".

…"En el primer Campeonato Junior de Kickboxing celebrado en Dublín el pasado año 2016, los árbitros españoles fueron felicitados por el Presidente de la Organización WAKO.

Comenta la sensación de premio y reconocimiento de su objetividad como árbitro, que paso de la fría bienvenida y la indiferencia a la felicitación…".

Consigo una valiosa información sobre el número de árbitros colegiados en Salamanca:

Tenemos un plantel de 8 árbitros-jueces con habilitación Nacional en las Competiciones de la Federación Española.

Para eventos internacionales en nuestra Comunidad Autonómica contamos con dos árbitros, uno de ellos es el entrevistado Juan Manuel Macias.

Considera y augura un magnífico futuro en la práctica de estos deportes.

…"Porque están regidos por personas honestas, dedicadas, trabajadoras y amantes del Kickboxing y sus Especialidades"…

Se enorgullece de que Salamanca esté a la cabeza de estos deportes.

Comenta con gran satisfacción que en el año 2008 el Club Élite de Salamanca consiguió mas medallas que las que sumaron el resto de países que concurrieron, que fueron 30.

Exhibición
Fiestas de San Juan de Sahagún - 2017

*Celebrada en el Pabellón Municipal de la Alamedilla
por alumnos de los gimnasios Élite, Club José Ángel Gómez
y Club Santa Marta de los Villares de la Reina*

Exhibición en el Pabellón de Deportes.

Escuela de Kickboxing Élite. Alumno Alex Martín, 5 años.

Club José Ángel Gómez. Alumno Hugo Guevara, 5 años

Club Santa Marta de los Villares de la Reina. Alumno Samuel Zapatero, 5 años.